Mitos e Tabus da Sexualidade Humana

Subsídios ao trabalho em Educação Sexual

Vencedor do **Prêmio "Boi de Mamão"**, concedido
pelo Clube do Livro de Florianópolis em 1999, como
a Melhor Publicação na categoria de
Ciências Humanas, no Estado de Santa Catarina.

Jimena Furlani

Mitos e Tabus da Sexualidade Humana

Subsídios ao trabalho em Educação Sexual

3ª edição
1ª reimpressão

autêntica

Copyright © 2003 Jimena Furlani

CAPA
Jairo Alvarenga Fonseca
(Sobre *Deusa de Willendorf* (24000 – 22000 aC) – associada as representações de mulher e de fertilidade. Estátua de pedra calcária, 11,1cm de altura, encontrada em 1908 pelo arqueólogo Josef Szombathy em Aurignacian, perto da cidade de Willendorf, Áustria. Pertence ao Naturhistorisches Museum, Viena, Áustria).

EDITORAÇÃO ELETRÔNICA
Waldênia Alvarenga Santos Ataíde

REVISÃO
Berenice Ribeiro Teixeira

FOTO DA AUTORA
Debbie Campos

Todos os direitos reservados pela Autêntica Editora. Nenhuma parte desta publicação poderá ser reproduzida, seja por meios mecânicos, eletrônicos, seja via cópia xerográfica, sem a autorização prévia da Editora.

AUTÊNTICA EDITORA LTDA
Rua Aimorés, 981, 8° andar . Funcionários
30140-071 . Belo Horizonte . MG
Tel: (55 31) 3222 68 19
Televendas: 0800 283 13 22
www.autenticaeditora.com.br

F985m	Furlani, Jimena
	Mitos e tabus da sexualidade humana: subsídios ao trabalho em educação sexual / Jimena Furlani. – 3.ed., 1 reimp. – Belo Horizonte: Autêntica, 2009.
	196p.
	ISBN 978-85-7526-083-8
	1. Educação Sexual I. Título.
	CDD 613.88

Rir é arriscar parecer tolo
Chorar é arriscar parecer sentimental
Tentar alcançar alguém é arriscar envolvimento
Expor sentimentos é arriscar rejeição
Expor seus sonhos perante a multidão
é arriscar parecer ridículo
Amar é arriscar não ser amado de volta
Seguir adiante face a possibilidades irresistíveis
é arriscar ao fracasso
Apenas uma pessoa que corre riscos é livre.

Alexander Lowen

AGRADECIMENTOS

Dificilmente a concepção, a elaboração e a conclusão de qualquer trabalho acadêmico e/ou literário origina-se por geração espontânea, no vácuo, do nada. O desafio que me veio na forma de coragem e ousadia teve, nos amigos e nos "inimigos", nos crentes e nos descrentes, nos companheiros e nos indiferentes, a principal mola propulsora desta realização.

Agradeço àqueles que sempre admiraram minha mania em estudar – minha querida família: pai Jayme, mãe Nezi; meus irmãos Jerusa, Jamira e Ricardo; meus sobrinhos Paula e Tiago.

Agradeço a Editora do CEPEC, na figura do Prof. Liberato Manoel Pinheiro Neto que, sem rodeios, acreditou e apostou neste trabalho em sua primeira edição.

Meu carinho especial aos "meus pares" e meus amigos/as (primeiros orientandos e orientandas no Curso de Pós-Graduação em Educação Sexual): Rosane Mª de Godoy, Luis Fernando Córdova e Tânia Welter. Nossa cumplicidade me fez superar o medo do novo, o medo de errar, o medo de me expor.

Agradeço aos que leram, parcial ou integralmente, esta obra e que aumentaram minha coragem para torná-la pública: Profª Celina Cordioli, Prof. Cesar Nunes, Beatriz

Weidenbach, Antônio De Paulo, Prof. Tomaz Tadeu da Silva, Profª Tânia Welter, Prof. Osni Mazon Debiasi, Anna Paula Vencato, Cláudia Ferro Kalafatás, Hellen Fernandes Macarini da Silva, Cristiane Maciel Vieira e Prof. Pinheiro Neto.

Agradeço à UDESC e à FAED pelo pioneirismo na Educação Sexual, no ensino, na pesquisa e na extensão. Em especial, ao NES (Núcleo de Estudos da Sexualidade) e todos os seus integrantes que na convivência, impuseram-me a reflexão, a coragem, o desafio e o crescimento.

Agradeço aos/as colegas e amigos/as que admiro pela pessoa que são e pela grandeza profissional que têm me espelhado no estudo da sexualidade: Juçara Terezinha Cabral, Gláucia de Oliveira Assis e Fernando Luiz Cardoso.

Ao Prof. César Nunes, minha admiração e o mais profundo respeito pela pessoa e profissional que é.

Meu agradecimento especial à Profª Maria da Graça Soares pelo exemplo de competência profissional; por mostrar-me como alguém pode verdadeiramente amar aquilo que faz e as pessoas com quem vive; por mostrar-me o significado real de uma paixão no exemplo de educadora sexual e de mulher.

Enfim, aos alunos e alunas, professores e professoras, amigos e amigas, crianças e adolescentes, conhecidos e desconhecidos... com quem compartilhei, nos últimos anos, aulas, cursos, oficinas, palestras, conversas, idéias, confidências, lamentos, alegrias e tristezas, seguranças e inseguranças, músicas, paixões e amores ... pessoas que foram e são a razão de qualquer existência e a reflexão constante da sexualidade humana.

SUMÁRIO

APRESENTAÇÃO 11
INTRODUÇÃO 13

I. MITO e MITOS SEXUAIS 17
Mito do corpo perfeito 21
Mito da diferença do prazer entre homens e mulheres 31
Mito do significado orgasmo,
do prazer e da *performance* individual 37
Mito do tamanho do pênis 51
Mito do sexo vaginal 56
Mito da estimulação clitoridiana 58
Mito da esterilidade masculina 61
Mito do uso da pílula anticoncepcional 67
Mito do uso da camisinha masculina 76
Mito sobre a origem da ginecomastia 81
Mito do consumo do álcool sobre a atividade sexual 83

II. TABU e TABUS SEXUAIS 87
Tabu contra a iniciação sexual
feminina antes do casamento 88
Tabu contra o adultério feminino 93
Tabu contra o incesto 102
Tabu contra o sexo na 3ª idade 109
Tabu contra a prática sexual
feminina após o climatério 111
Tabu contra a prática de sexo com animais 114

Tabu contra o sexo anal 117
Tabu contra o sexo oral 120
Tabu contra o sexo grupal 124
Tabu contra lojas eróticas (*sex shop*) 126

III. MITOS e TABUS SEXUAIS 133
Masturbação 134
Virgindade feminina 143
Ato sexual durante a menstruação 149
Homossexualidade 153
Bissexualidade 174

CONCLUINDO 177

NOTAS 183

BIBLIOGRAFIA 191

APRESENTAÇÃO

O que queremos dizer quando afirmamos que "*A sexualidade é construída historicamente*"! Quais suas implicações pedagógicas? Quais os possíveis efeitos, desse entendimento, ao trabalho didático da Educação Sexual?

Dizer que algo é historicamente determinado é considerar que este algo "tem uma história", que foi concebido num "determinado tempo", numa "época específica", num "certo contexto". A frase, ao remeter a sexualidade ao âmbito da História Humana, reitera o entendimento de que todo conhecimento é temporal, é circunstancial, é contingencial.

As múltiplas representações, significados e saberes, no contexto das diversas sociedades e culturas, são "invenções" dos seus respectivos contextos discursivos. Podemos escolher pinçar na história, algumas temáticas da sexualidade (como virgindade, casamento, homossexualidade, anticoncepção, manifestações infantis, iniciação sexual, etc.). Veremos como, cada sociedade, ao seu tempo, "constrói" específicos significados acerca do objeto que fala. Cada sociedade legitima ou condena, certa prática sexual, certos sujeitos, dependendo do entendimento momentâneo que tem sobre eles.

Todo saber é uma construção humana. Em meio a disputas e a relações de poder, as muitas intuições sociais, usando de seus discursos normativos, posicionam certos saberes como hegemônicos, muitas vezes, transformando a diferença "do outro" em desigualdade social. E isso deveria interessar, sobremaneira, a Escola e suas educadoras e educadores.

O discurso que inventa, que constrói representações, positivas ou negativas, acerca dos gêneros, das sexualidades, das relações étnico-raciais, está em constante movimento e, portanto, passível de permanente crítica desconstrutiva. Isso é particularmente positivo e encorajador para aquelas e aqueles que vêem a Educação e a Escola como uma possibilidade e um local de desconstrução e de construção de novos saberes. O contexto educacional também é político e também é local onde representações e significados podem ser re-pensados, re-inventados, incluídos, pluralizados. Basta apenas que saibamos que tipo de país queremos, que tipo de "educação integral" intencionamos proporcionar para nossas crianças e jovens, que concepção de "educação para cidadania" pretendemos, que entendimento temos acerca da Educação como meio à "superação das desigualdades sociais".

Este livro procura mostrar como as representações da sexualidade humana se inserem na História (no tempo, no contexto) e na Política (nas relações de poder, no controle social). Mais do que informações, pretendo que seu texto possa apresentar caminhos ao trabalho de uma Educação Sexual com crianças e jovens e acenar, também, para os cursos de formação de professoras/res, num posicionamento assumidamente político de respeito às diversidades.

INTRODUÇÃO

Não só para educadoras e educadores, mas para todos/as que se interessam pelo assunto, a temática sexualidade não foi e nem tem sido algo tranqüilo de se compreender e/ou abordar. Embora, freqüentemente, envolta em um feixe de valores morais e conservadores, essa temática tem sido fundamental na determinação de vivências e práticas cotidianas, nos usos e costumes, na intimidade e nas expressões amorosas, que não apenas interessam as individualidades mas à toda uma coletividade.

A ausência dessa temática na quase totalidade dos cursos de formação de professores e a falta de tradição familiar na sua discussão, se somam aos modelos de disciplinamento, censura e conservadorismo de diversos discursos sociais, quer sejam eles religiosos, midiáticos, jurídicos, médicos, governamentais, escolares. Penso que esta é exatamente a ótica de abordagem múltipla que a Educação Sexual escolar pode assumir, ou seja, compreender que os fenômenos sócio-culturais atingem uma sociedade, e mesmo que haja casos específicos e individuais, as discussões em sexualidade devem extrapolar o âmbito da pessoa. As discussões devem ser conduzidas ao contexto atual, resgatando sua construção história e trazendo à tona o jogo de poder que institui "verdades" e que atingem as pessoas em uma dada sociedade e cultura.

Se observarmos os últimos anos de nossa história, foram inúmeras as mudanças sociais que alteraram os mecanismos de compreensão e vivência da sexualidade humana. Numa análise mais direcionada à sociedade brasileira, percebemos como a gradativa influência da mídia tem acelerado mudanças no comportamento sexual, refletido no conjunto dos valores sociais, nas variações lingüísticas (quer sejam na forma erudita ou coloquial), nas manifestações artístico-culturais (na literatura, na música, no cinema, na pintura), nos fetiches da moda, na construção das noções de masculino e feminino, nas formas de relacionamento entre os indivíduos, nas idéias acerca do público e do privado, no papel de homens e mulheres na sociedade, no impulso e implemento das descobertas científicas, na facilidade de acesso aos métodos contraceptivos, no crescente aumento da indústria do sexo (quer seja ela real ou virtual), entre outros aspectos.

A sexualidade pode ser vista como constituída e constituinte de relações sociais; discuti-la, compreendê-la, recriá-la e re-significá-la, obriga-nos a transitar, não só na biologia, mas também na contribuição de estudos nas áreas da história, da pedagogia, da psicologia, da antropologia, da sociologia, da moral, da evolução social, da política econômica, da literatura, da publicidade, da mídia. "As relações sexuais são relações sociais, construídas historicamente em determinadas estruturas, modelos e valores que dizem respeito a determinados interesses de épocas diferentes"[1]. Esses interesses não apenas consolidam modelos sociais hegemônicos de vivência, como ditam as "verdades" sobre a sexualidade individual e coletiva.

Proponho, desta forma, uma Educação Sexual e um processo de formação de educadores/ras que considere sempre a análise social, cultural e política. Faço-o, por acreditar que nos tempos atuais, cada vez mais, se evidencia o quão difícil torna-se a análise dos paradoxos e dos problemas sociais sem o criterioso embasamento teórico crítico. Considero impossível teorizar a sociedade e a educação sem uma compreensão das formas e processos pelos quais ambos são construídos e constituídos. Esta análise deve caracterizar-se por seu aspecto crítico, não havendo, portanto, a possibilidade de desvinculá-la de sua dimensão cultural e política.

Em se tratando da sexualidade e da Educação Sexual, torna-se imperiosa a busca de um referencial que possibilite analisar e teorizar o processo educativo através de uma Teoria Crítica em termos de campo político cultural. Precisamos "ver a Educação, a Pedagogia e o Currículo como campos de luta e conflito simbólico, como arenas contestadas na busca da imposição de significados e de hegemonia cultural"[2].

A abordagem de discussão, portanto, que apresentarei ao longo deste livro, recusou-se a transitar nos linguajares médico e/ou psiquiátrico que têm enquadrado práticas sexuais nos moralmente e limitados estereótipos da "normalidade", dos "desviantes", das "perversões". Minha postura de discussão e análise é assumidamente oposta a esses instrumentos doutrinadores e ditadores das "verdades" sobre a sexualidade humana. Sou educadora e, como tal, busco problematizar teoricamente a construção daquilo que hoje cremos sobre as diversas vivências e expressões da vida sexual, considerando que, possivelmente, em outros contextos de disputas de poder, poderiam ser concebidas de forma diferente.

Neste sentido, a necessidade de perceber os mitos e tabus (principalmente os sexuais), como construções/invenções humanas, frutos do desenvolvimento e da interação sócio-cultural, torna-se fundamental ao trabalho de educadoras e educadores sexuais. Vamos, portanto, a eles.

Mito e Mitos Sexuais

Palavra de origem grega, *mithus*, significa "fábula". O conceito atribuído a este termo não é único. Pode ser entendido como a "representação de fatos ou personagens reais, exagerada pela imaginação popular, pela tradição, etc". Este é um conceito que se refere tanto a informações e acontecimentos como a pessoas. Mito pode ainda significar uma "idéia falsa sem correspondente na realidade"[3], o que reforça um conceito que envolve, por parte de quem o discute, uma postura especulativa a fim de demonstrar as idéias que, erroneamente, são incorporadas como verdadeiras, desconstruindo assim, o mito.

No entanto, a idéia de mito pode estar associada a grupos específicos de indivíduos e determinar, pelo seu significado, as experiências de vida de uma comunidade. Com isso, um mito pode ser a "imagem simplificada de pessoa ou de acontecimento, não raro ilusória, elaborada ou aceita pelos grupos humanos, e que representa significativo papel em seu comportamento"[4].

Numa obra de Filosofia[5], o conceito de mito pode ser compreendido de duas formas: primeiro, como a "narrativa lendária pertencente à tradição cultural de um povo que explica através do apelo ao sobrenatural, ao divino e ao misterioso, a origem do universo, o funcionamento da natureza e a origem dos valores básicos do próprio povo"; e segundo, como "crença não justificada, comumente aceita e que, no entanto, pode e deve ser questionada do ponto de vista filosófico". Esta segunda idéia pode ser exemplificada pelo mito da neutralidade da ciência e/ou pela superioridade da raça branca; este conceito é particularmente importante, na medida que nos possibilita perceber o quanto idéias de cunho político e ideológico podem estar envolvidas e impregnadas em cada mito, conferindo-lhe a potencialidade em reforçar posturas discriminatórias e sentimentos preconceituosos, frente ao seu objeto.

Dentro de uma visão mais antropológica do termo, convém lembrar que houve épocas em que o discurso mitológico se constituiu na principal base das representações humanas para as explicações dos fenômenos da natureza e para as explicações acerca dos sentimentos e valores morais. Refiro-me as culturas grega e romana que tiveram fundamental importância na estruturação da civilização ocidental, quer seja nas instituições públicas, quer seja nas artes, contribuindo significativamente para a construção de um imaginário social altamente mítico. Talvez residam neste aspecto as razões para uma tradição humana fortemente apegada a essas representações simbólicas[6].

O termo MITO SEXUAL pode ser compreendido como o conjunto de "concepções errôneas e falácias criadas a partir de rumores, superstições, fanatismo ou educação sexual falha"[7]. Esta definição nos faz pensar o quão importante e indissociável está, muitas vezes, o conhecimento científico do trabalho de educação sexual, na medida em que muitos dos mitos sexuais são reforçados pela falta de informação científica básica, permitindo que o senso comum prevaleça e determine as "verdades" balizadoras das práticas sexuais dos indivíduos.

Num caso extremo, onde o nível de aceitação de idéias míticas pode influenciar os indivíduos de forma crônica, "o acreditar" no mito passa a agir como causa e como conseqüência de condutas assumidas, vindo a constituir-se num problema sexual de ordem emocional e comportamental. É o que ocorre no sul da China, Malásia e Bornéu, onde se observa uma espécie de problema psíquico, denominado Koro: "as vítimas desenvolvem receio mórbido e obsessivo de que seu pênis esteja encolhendo e acabe por desaparecer dentro do abdome, levando-as à morte. Para impedir, geralmente amarram um cordão ao redor do pênis ou o encaixam em talas de madeira. Se não resolver, chamam os membros da família para que se revezem, segurando firmemente o órgão. Há também uma forma feminina do distúrbio, na qual a mulher fica convencida de que seus seios estão encolhendo e os lábios vaginais estão sendo sugados para dentro. Em qualquer dos casos, o distúrbio pode estar associado a culpas advindas da masturbação ou promiscuidade"[8].

Minhas experiências de pesquisa têm demonstrado que a maioria dos atuais mitos sexuais, existentes nas representações humanas de nossa cultura, apresenta uma origem calcada em conhecimentos biológicos equivocados e em análises político-sociais descontextualizadas e ingênuas. Muitas vezes, a falta, total ou parcial, de conhecimentos mínimos acerca da biologia pode favorecer o apego a explicações diversas e crenças que levam a legitimar mitos e tabus.

Exemplos desse ponto de vista sobre a biologia reprodutiva pode ser ilustrado pelas teorias acerca de como surgem os bebês. Algumas sociedades como os Aranda (da Austrália), os habitantes da Ilha Trobriand (da Costa da Nova Guiné), e os Yapese (de uma ilha da Micronésia, no Pacífico), são descritos como povos que, convictamente, negam a necessidade dos homens para a procriação; entre os habitantes das ilhas da costa de Papua, na Nova Guiné, os Kiwai, que são geralmente monogâmicos (embora a poliginia seja permitida), observa-se nos seus mitos sexuais a crença de que a mulher dará à luz a gêmeos se comer bananas de uma bananeira com dois cachos, da mesma forma que uma mulher pode superar a esterilidade comendo aranhas e ovos de aranhas. Os Tucano, uma tribo indígena brasileira, acreditam que uma mulher grávida deve evitar ter relações sexuais para impedir que o número de fetos aumente tanto, que ela chegue a explodir[9].

Buscando entender a construção de muitos mitos sexuais, poderíamos pensar, primeiramente, numa origem calcada na matriz biológica e a seguir, reforçada pela matriz social e cultural, que levaria as pessoas a diferentes comportamentos frente a sua sexualidade. A contextualização histórico-social é imprescindível à compreensão da construção dos mitos e tabus sexuais e sua influência nas vivências pessoais.

A Educação Sexual pode fazer esta crítica num processo educativo que se defina pela análise social e política das redes de poder que promovem a classificação, a hierarquização e o enquadramento sexual em modelos restritos. Em última análise, trata-se de um processo que visa discutir e compreender os mitos sexuais como construção na história e na cultura; que visa permitir aos indivíduos, nesse exercício de análise crítica, a compreensão dos mecanismos sociais que escravizam a vivência plena de uma sexualidade positiva, livre e múltipla, percebendo os mecanismos impositivos e conservadores que levam ao preconceito e à discriminação.

Partindo do conceito de que um mito se caracteriza pelo conjunto de concepções equivocadas (propositais ou não), sobre as vivências sexuais, passo agora a enumerar e discutir algumas dessas idéias. Os mitos, apresentados a seguir, são oriundos da fala daqueles que têm participado das aulas e dos projetos de pesquisa e extensão, realizados por mim em 1996, 1997 e 1998, com o público adolescente e adulto. Estes foram percebidos nas representações sobre sexualidade, presentes em perguntas formuladas nas atividades[10].

Procurarei, ao final da discussão de cada mito, apresentar algumas questões/dúvidas comumente formuladas nesses trabalhos, precedidas de comentários didático-metodológicos que, espero, auxiliem educadores e educadoras a re-criar seus trabalhos práticos da Educação Sexual.

Mito do corpo perfeito

A Igreja diz: o corpo é uma culpa.
A ciência diz: o corpo é uma máquina.
A publicidade diz: o corpo é um negócio.
O corpo diz: eu sou uma festa.

Eduardo Galeano (1995)

Idéia que se constitui no mito:
o tipo de corpo perfeito e ideal ao desempenho sexual é o magro, esbelto e atlético.

Nossa sociedade capitalista, ao legitimar seu sistema econômico, reforça o comportamento consumista, vendendo, para isso, a imagem do corpo perfeito, esbelto e atlético, como fundamental às relações sexuais satisfatórias e aos mecanismos de atração e desejo. Portanto na discussão deste mito, aspectos de ordem econômica, política e sócio-cultural podem ser abordados, considerando na discussão, o levantamento dos fatores, que numa sociedade, determinam os padrões de beleza e estética considerados aceitos.

Além deste enfoque, é importante lembrar que padrões de beleza para a espécie humana são construídos e, em distintas culturas, podem ser diferentes. Vejamos.

Na sociedade brasileira de um modo geral, os dentes são considerados por muitos o "cartão de visitas" de uma pessoa, podendo ou não "convidar" a um relacionamento. Apreciamos uma dentição inteira e de preferência original onde prepondere a limpeza e a brancura. No entanto, "entre algumas sociedades africanas e entre os aborígenes australianos, com o propósito de aumentar a atração sexual e especialmente como parte de cerimônias de iniciação sexual, costuma-se alterar os dentes: limar, tingir, perfurar, puxar ou arrancá-los". Já entre os Yapese, habitantes de uma grande ilha nas Carolinas, "entre seus costumes e crenças destacam-se o escurecimento dos dentes como embelezamento e atrativo sexual"[11].

Sem dúvida a aparência bucal, dentro daquilo que define a cultura, é fundamental para o envolvimento físico, por exemplo, nas sociedades ocidentais, através do beijo. No entanto, o beijo, "ato comum nos relacionamentos humanos, não é encontrado entre os ainos, andamaneses, vietnamitas, somalianos, Lepcha, Cewa, Siriono e habitantes de Okinawa"[12].

Outro aspecto, a coloração da pele, pode se constituir num componente da atração sexual. Mesmo tendo a retórica de construção de nossa identidade estético-cultural se originado na Europa, a partir da hegemonia da raça branca e sob a égide do poder masculino, ao contrário do que se acredita, a pele de cor branca (pálida) não é tão universalmente apreciada. Muitos preferem os tons mais escuros. Talvez esta idéia seja mais facilmente admitida pela constatação da grande disputa por "um lugar ao sol", na busca pela "cor massa", que angustia os jovens (e não só eles), por ocasião do verão. A mídia vende o corpo preconizado pelo mito. Não há propagandas em que não se veja gente jovem, "bonita", bronzeada, "saudável" e atlética. Se na época Vitoriana[13] as mulheres usavam sombrinhas para evitar o bronzeamento, hoje em dia, rostos e corpos bronzeados são considerados extremamente sensuais.

A tatuagem, de um modo geral, sempre foi vista com preconceito em nossa sociedade e discriminada, talvez por ter sido esta uma atividade artística marginalizada, feita, em sua origem, por indivíduos andarilhos ou por aqueles que, pela força do destino, pelas dificuldades da vida ou pela simples escolha de um estilo próprio de viver, acabaram tornando-se itinerantes. Quando esteve associada ao movimento *hippie* (que, significou contestação social e libertação sexual) foi igualmente estigmatizada pela conservadora sociedade ocidental. Ainda hoje, estabelece relação com a criminalidade: nos presídios e casas de detenção, diferentes tatuagens "marcam" crimes e facções. O preconceito às tatuagens também esteve relacionado com a possibilidade de se contrair o HIV através de agulhas contaminadas, o que seria favorecido pela falta de cuidados e higiene, que podem estar presente num *atelier* improvisado ou clandestino.

No entanto, os últimos anos testemunharam um considerável avanço na higiene dos estúdios de *tatoo*, bem como, na profissionalização dessa atividade pelo uso de máscaras, luvas cirúrgicas e agulhas descartáveis. Hoje, a tatuagem saiu da estrita relação com a marginalidade ou a violência e é estampada nos corpos de pessoas de todas as idades e classes sociais como um ornamento identificador de estilo próprio, ideologia, sensualidade, tribos ...

Para outras culturas, desenhos no corpo também podem se tornar um interessante atrativo sexual. Em "algumas sociedades do Zaire e de Samoa, onde grandes tatuagens na pele, cicatrizes elaboradas e desenhos pintados no corpo de homens e mulheres são considerados extremamente eróticos e excitantes". Também em "Bala, sociedade no Zaire, as mulheres fazem tatuagens de desenhos artísticos que se estendem do peito até a virilha"[14].

A sexualidade observada no final do século XX se mostrou extremamente fetichizada em estilos que acentuaram procedimentos ousados para uns, contestadores para outros, bizarros e esquisitos para maioria conservadora. Tatuagens, assim como os *body-piercings*, nesse novo milênio, têm sido incorporados ao conjunto de estilos pitorescos de uma geração que talvez use "a arte em decorar o corpo para demonstrar sua tomada de decisão sobre o controle de sua própria vida"[15]. Acredita-se que o *piercing* tenha se originado na cultura contemporânea a partir das subculturas gay, sadomasoquista e fetichista. Num ato proposital, seus protagonistas dirigem-se à sociedade afirmando nas entrelinhas: "sim, eu sou esquisito", "eu sou diferente", ou então, "eu não sou como você". E como moda, têm sido incorporados ao mundo *fashion* em desfiles que misturam a ir reverência da roupa, do corpo e da sensualidade.

Cicatrizes no corpo podem estar associadas a bravura e heroísmo. Foi o observado no século XIX e princípio do século XX: "entre a classe alta alemã, cicatrizes faciais resultantes de ferimentos adquiridos através de duelos de esgrimas eram consideradas um emblema de distinção e coragem e proporcionavam uma forte atração sexual". O mesmo entre os "povos do Sudão, onde ainda é comum o processo de decorar a pele com cicatrizes, deliberadamente produzidas, por cortes de faca"[16]. No entanto, cicatrizes também significam dor, e esta atração sexual pode estar associada a preferência por práticas sadomasoquistas[17]; há, ainda, aqueles que comparam e associam-na com a marginalidade. Nos trabalhos de Educação Sexual não convém julgar. Penso que gostar de cicatrizes no corpo pode ser comparado ao gosto fetichizado por sinais de nascença. A discriminação, no exemplo, está, não na cicatriz em si, mas, nos significados socialmente negativos transferidos a essas condutas: ao sadomasoquismo e à criminalidade.

A mesma sociedade que vende o "mito do corpo perfeito" é a que lida com as angústias da insatisfação permanente nos seus indivíduos. É difícil encontrarmos alguém que esteja totalmente satisfeito/a com seu corpo: sempre há uma gordurinha indesejada, aqui e ali; um nariz torto ou grande demais; um bumbum caído; um sinal indiscreto; um pesão; um pescoço curto; uma mão enrugada; um cabelo liso demais; pernas muito cabeludas; uma pele muito oleosa; uma papadinha sob o olho, e busca-se alterar o corpo dentro da estética definida e aprendida em nosso processo de educação sexual formal e informal.

Em algumas culturas o forte apelo à beleza instituída pode levar a uma corrida exagerada às práticas que beiram a crueldade. É o que se observou "em algumas regiões da França no início do século XX, assim como entre os índios norte-americanos da Costa Noroeste e em outras sociedades indígenas onde havia o costume de moldar a cabeça. Este achatamento da cabeça, considerado um atributo de beleza e de atração sexual, era praticado bem cedo, empurrando-se para trás a cabeça do bebê e prendendo-a entre duas talas, uma na testa e a outra na parte de trás"[18].

Não menos cruel, outras sociedades que consideram partes do corpo atraentes (os pés, por exemplo) promovem verdadeiras agressões físicas à mulher. É o observado na China, onde "o enfaixamento dos pés caracteriza-se numa tradição secular de mulheres pertencentes à classe mais alta, com o objetivo de torná-los extremamente pequenos. Tal aspecto estético era considerado eroticamente estimulante. A prática provavelmente se originou como um símbolo de *status* de uma classe ociosa"[19].

No entanto, há culturas que conferem outros significados: entre os hindus, destaca-se um ritual de reverência aos pés (considerado o "microcosmo do corpo"), por apresentar sutis conexões com todos os órgãos. "Os pés são lavados, untados com óleos e venerados com incensos e flores, não apenas por sua função básica de suportar o peso do corpo, mas pelo que representam na excitação sexual, ao serem beijados ou colocados em contato com os genitais do parceiro[20].

A atração sexual em algumas culturas pode estar no aspecto da genitália, como o observado entre os indivíduos das comunidades dos Marquesans e dos Trukese, onde "há uma forte preferência e atração sexual por mulheres que apresentam os pequenos lábios alongados de seu órgão sexual. Estes são especialmente excitantes e as mulheres procuram esticá-los". Semelhante comportamento é constatado em Tsuana, uma grande sociedade em Botsuana, na África, onde "os pequenos lábios vaginais são considerados o principal atrativo sexual. A partir da puberdade as garotas começam a puxá-los e podem mesmo valer-se de outros recursos para aumentá-los como matar um morcego, queimar suas asas e passar a cinza sobre cortes feitos em volta dos pequenos lábios, de forma a torná-los tão grandes quanto as asas de um morcego". Em Bougain-ville do

Norte, uma das ilhas Salomão, há uma sociedade polígina – os Kurtatchi, onde meninas e mulheres expõem direta e intencionalmente seus órgãos genitais como convite à atividades sexuais[21].

Quanto aos seios, não é apenas a sociedade norte-americana que consagra-se na fama de grande admiradora desde aspecto do corpo feminino. Os seios podem conferir grande importância no processo de atração para a grande maioria das culturas, o que tem sido explicado pela biologia evolutiva como um comportamento adaptativo selecionado pela espécie humana – os seios estariam relacionados ao atributo de saúde, procriação e potencial de amamentação à prole, o que asseguraria ao "macho" a certeza de uma "fêmea" saudável para perpetuação de seus genes.

A população dos "Zande, um povo africano radicado na região do Congo sudanês, difere da maioria das outras sociedades por valorizar seios longos e pendurados. Outros povos, como aqueles próximos à costa de Java, na Ilha de Bali (os balineses), apresentam costumes sexuais que incluem a exposição dos seios como atrativo sexual". Já entre a comunidade sul-africana dos Zulu, entre seus costumes destacam-se, além da "remoção de todos os pêlos da região pubiana, tanto nos homens como nas mulheres, rituais em que mulheres solteiras dançam com os seios à mostra, vestindo nada além de colares de contas, para mostrar que seus corpos não estão flácidos, o que seria indicação de imoralidade sexual"[22].

É interessante observar como a espécie humana, por meio da influência cultural, distingue-se do comportamento sexual procriativo presente nos demais animais. Refiro-me ao fato de que, como no reino animal prepondera o instinto sexual reprodutivo, verifica-se nos machos um grande esforço nos rituais de acasalamento. Para isso eles dançam, cantam, apresentam plumagem vistosa, demonstram sua força capturando presas, despendem horas e horas num conjunto de atitudes visando a sua conquista e a sua escolha, por parte da fêmea, para acasalar.

Na espécie humana o jogo do poder entre os sexos, construído na cultura e não nos atributos biológicos, define "quem deve agradar a quem". Parece-me que, na grande maioria das sociedades, mesmo que tenha havido grandes mudanças ao longo dos anos (especialmente nas sociedades ocidentais pós-revolução sexual – década de 60 do séc. XX), é a mulher que, mais constantemente, no modelo heterossexual hegemônico de relacionamento, busca agradar o homem. Talvez um comportamento que encontre na cultura do casamento – que leva à procura de um marido-provedor e na decorrente dependência econômica histórica dessa mulher ao mundo privado do lar – toda a sua lógica.

O Terceiro Milênio vislumbra, cada vez mais, novas mulheres, que buscam romper os limites da casa e ocupar o mercado de trabalho – o mundo público dos homens. Isto sugere, na Educação Sexual, uma imprescindível discussão à luz dos estudos sobre as relações de gênero, fundamental para compreensão atual dos mecanismos sociais simbólicos que determinam os modelos de relacionamentos e convivência entre homens e mulheres.

Padrões estéticos de beleza são construídos na cultura e, portanto, não são qualquer garantia de felicidade e satisfação sexual. A qualidade das relações passa pela atração e pelo prazer físico, sem dúvida ... mas também apresenta um forte aspecto de complementaridade sentimental, de afinidade cultural, de sensibilidade afetiva. Esses aspectos mais qualitativos, que são fundamentais para a vivência de uma conjugalidade plena entre duas pessoas, talvez só sejam valorizados após certa fase de nossas vidas, após certa idade, após certa maturidade sexual e de relacionamento. Desta forma, é de se esperar que o mito do corpo perfeito "atormente" muito mais os jovens inseguros pela conquista, pelas incertezas na auto-estima, pelo desconhecimento da convivência e da sua própria sexualidade e da do outro.

Neste processo de consciência, a educação formal (escola) e informal (família, igreja, mídia, ...) ao longo da história, tem negado a importância do corpo para satisfação e realização pessoal, o que constitui-se numa maneira de reprimir a sexualidade. "Essa forma repressiva não se dá somente pela ocultação do corpo, mas também pela exploração erótica, comercialização e objectualização do corpo, reduzido e transformado em objeto de consumo. Fora desse padrão o corpo é descartável"[23].

Na busca de compreendermos melhor por que hoje nossa sociedade ocidental associa valores negativos a corporeidade, convém resgatar aspectos do discurso religioso nesse processo de concepção social. Refiro-me à doutrina cristã que ao reforçar a dualidade entre corpo e alma, dando-lhe significados valorativos distintos e hierarquicamente diferentes, acentuou a visão negativa sobre o corpo e conseqüentemente, sobre os prazeres advindos dele nas vivências sexuais.

Para o Cristianismo o corpo foi e é associado ao componente mortal (e mundano). Em contrapartida, a alma seria seu aspecto imortal (sagrado). Ao assimilar este dualismo e se instalar como religião do Ocidente, a doutrina cristã "no Novo Testamento deixa escrito o que, mais tarde, outros pensadores cristãos passaram a referendar: a afirmação da matéria e do prazer físico como intrinsecamente maus"[24].

A Igreja Católica continua a reforçar o dualismo entre corpo e alma, numa tácita associação de oposições:

de um lado, valorativamente positiva, está a alma relacionada com o bem, o espírito, a virtude. Do outro lado, valorativamente negativo, está o corpo associado à matéria, ao carnal, ao mau, ao pecado. Santo Agostinho afirmou que, no corpo "reside o princípio do mal, da luxúria, do prazer como malícia; é templo do pecado, lugar de perdição". Para ele, Adão e Eva, após cederem à tentação sexual, cometeram pecado. Como conseqüência desse ato, veio a vergonha pela nudez numa clara associação do pecado com os órgãos genitais, o que se justifica, para ele, pelo fato de ambos terem procurado esconder a região sexual com folhas, dizendo-nos que "a corporeidade nasce de uma ação vinculada ao mal"[25].

Numa sociedade hegemonicamente católica (como é a brasileira) é de se supor que essas idéias, incorporadas nas representações sociais, tenham grande importância. Juntamente com outros discursos (médico, midiático, jurídico ...) constituem as vivências individuais da sexualidade, principalmente ligadas aos significados que o corpo assume e na maneira de cada pessoa viver e se permitir na sua corporeidade e no prazer associado e originário dessas vivências.

A Educação Sexual pode contemplar essa discussão e possibilitar, a partir da compreensão desses mecanismos coercitivos impostos historicamente, uma vivência mais positiva e livre do corpo, do prazer advindo dele, deste prazer compartilhado com o outro, da sexualidade pessoal. Penso que o mais importante não é exatamente o tipo de corpo que temos, mas aquilo que podemos fazer com ele, com seu potencial de sedução e com a capacidade de torná-lo suficientemente erótico e sensual ao prazer e à satisfação sexual e afetiva e para isso, o primeiro passo, é gostarmos dele.

MITO DA DIFERENÇA DO PRAZER ENTRE HOMENS E MULHERES

> *Homens e mulheres certamente não são construídos apenas através de mecanismos de repressão ou censura; eles e elas se fazem, também, através de práticas e relações que instituem gestos, modos de ser e de estar no mundo, formas de falar e de agir, condutas e posturas apropriadas (e, usualmente diversas). Os gêneros se produzem, portanto, nas e pelas relações de poder.*
>
> Guacira Lopes Louro (1997, p.41)

Primeira idéia que se constitui no mito:
a mulher tem menos necessidade de sexo que o homem ou o homem sente mais necessidade de sexo do que a mulher.

Segunda idéia que se constitui no mito:
é difícil para a mulher alcançar o prazer e o orgasmo nos relacionamentos sexuais.

A abordagem na discussão desse mito, nos trabalhos de educação sexual, pode buscar mostrar como estas idéias se constituem numa legítima representante da condição de desigualdade entre homens e mulheres, na nossa sociedade. Este mito reforça uma assimetria sexual no prazer e no desejo, que não é real. Poderíamos perguntar: ao reforçar essa diferença e naturalizar o desinteresse sexual feminino, o mito não estaria legitimando certo comportamento masculino, traduzido em práticas tacitamente aceitas como, por exemplo, o adultério, a bigamia e a "impossibilidade" de abstinência sexual antes do casamento? O mito não estaria legitimando e "naturalizando" um descontrole masculino pelo sexo?

Penso que podemos, ainda, perguntar: por que estas três práticas (adultério, bigamia ou poligamia, e o sexo pré-marital), mais facilmente, são aceitas no comportamento masculino? Dou uma pista à resposta: porque o mito que as legitima é aceito. Com isso, para o homem, o comportamento adúltero, a diversidade sexual quantitativa e a necessidade incontrolável de sexo antes das relações conjugais podem ser considerados "normais", uma vez que são comportamentos sustentados pela idéia do inatismo. E, se o sexo é inato, inato também é a fome e a sede que, certamente, ninguém contesta. Portanto, uma vez que o mito é aceito, tais comportamentos também o são ... "fazem parte da natureza do homem" ... "são naturais" ..., mas, não fazem parte do comportamento sexual da mulher (do que é esperado para ela), ilustrando a assimetria sexual construída nos diferentes significados da cultura.

Se historicamente, de um modo geral, as culturas têm se preocupado muito pouco com o prazer da mulher, todavia, têm demonstrado grande empenho em submeter sua sexualidade ao controle masculino. Exemplo disso foi observado "no século XIX, onde a remoção cirúrgica do clitóris era usada para controlar a masturbação e a ninfomania. Em muitas sociedades africanas, entre grupos islâmicos e entre os índios Pano, do Equador, esta forma de mutilação genital era praticada como rito social ou de iniciação sexual". A razão para essa prática, imposta pelos homens, freqüentemente, justificou-se na crença de que a ausência do clitóris impediria a mulher de experimentar orgasmo (considerado prerrogativa masculina)[26].

Outro exemplo do domínio cultural masculino é o *purdah*: uma prática muçulmana, e posteriormente hindu, de esconder as mulheres da vista dos homens e de estranhos, mediante o uso de longos robes com capuz (o xador), véus, telas, cortinas e cercados altos. Segundo os estudiosos do islamismo, tanto é uma expressão do domínio masculino quanto uma maneira de controlar a sexualidade das mulheres[27].

Novamente observo uma questão política de discussão da igualdade de direitos entre homens e mulheres, associado às necessárias discussões, à luz dos conhecimentos e estudos antropológicos, das relações de gênero. Entendo que os trabalhos em Educação Sexual podem discutir uma antiga "bandeira de luta" do movimento feminista: a busca da igualdade nas relações humanas e na prática da sexualidade, sem assimetrias nas vivências de homens e mulheres.

Nos trabalhos de Educação Sexual, as perguntas formuladas, referentes a este tema, são do tipo: a) O que é orgasmo?; b) Quem sente mais prazer: o homem ou a mulher?; c) Quem sente mais desejo sexual?

Durante os trabalhos práticos de discussão, é comum verificar que prevalece certa confusão conceitual na medida em que aspectos do funcionamento orgânico humano, associados ao componente psico-emocional, não são completamente compreendidos. Isto leva, normalmente, a que orgasmo e ejaculação sejam considerados termos sinônimos. Uma possibilidade de superação dessa dificuldade é conceituá-los separadamente, embora discutindo a inevitável associação de ambos ao clímax do ato sexual e considerando também que podem, de igual forma, estar associados às práticas da masturbação, ou separados (no caso das poluções noturnas onde o rapaz ejacula sem que tenha orgasmo).

Outro equívoco comum no raciocínio observado nos trabalhos de Educação Sexual é quando o orgasmo masculino é necessariamente associado ao prazer (ato de gozar) e como uma conseqüência da ejaculação. Com isso, geralmente os homens procuram entender o prazer feminino por comparação. Neste momento cometem um erro pois, ao considerarem que a mulher "não ejacula", retiram dela a possibilidade de também sentir prazer no ato sexual. O raciocínio é simples e traduz-se numa questão lógica: "já que a mulher não ejacula ... então ela não goza. Como, quando eu gozo eu sinto prazer, então a mulher não sente prazer".

Ao analisar os questionamentos percebi também que o raciocínio parte da idéia de que há uma "incontestável" diferenciação entre o prazer sentido por homens e mulheres, e que a mulher sente menos interesse pelo sexo; enquanto que o homem é mais interessado, tem mais "necessidade".

Embora seja necessário na discussão questionar as bases culturais desse comportamento manifesto, convém chamar a atenção para um importante aspecto observado: esta concepção, reforçada e tacitamente aceita na sociedade e na cultura (de que é "natural" a mulher sentir menos interesse e prazer sexual), pode levar alguns homens a desenvolverem um conveniente comportamento de aceitação e conformismo, justificando seu não "empenho" na busca do prazer da mulher, especialmente nos casos de relacionamentos heterossexuais. Alguns homens se acomodam, como se a responsabilidade não lhes fosse também compartilhada. Essa noção conformada de um determinismo biológico, no comportamento sexual feminino e no desejo e prazer da mulher, pode ser discutida e desmitificada na Educação Sexual.

Em relação a dificuldade da mulher em obter o prazer sexual, se formos buscar na história da sexualidade humana, encontraremos em Freud uma significativa contribuição à idéia deste mito. Afirmou ele, que o orgasmo clitoriano corresponderia a uma manifestação infantil da sexualidade feminina (um sinal de imaturidade) e que o orgasmo vaginal seria um orgasmo adulto. Com isso, Freud reforçou e estigmatizou uma hierarquia nas práticas sexuais femininas, dando destaque ao sexo vaginal. Seria pretencioso afirmar que esta visão contribuiu para acentuar o olhar disciplinador social sobre o desenvolvimento sexual da mulher? Penso que sim, quando, principalmente, se considera o conjunto de significados sociais negativos conferidos às atividades masturbatórias, com ênfase na estimulação clitoriana. Se para Sigmund Freud (1856-1939) a masturbação era sinal de imaturidade e distúrbio sexual, hoje, a manipulação genital é um passo importante para o autoconhecimento corporal, para percepção das sensações prazerosas e para gratificação sexual, quer seja ela individual ou com parceiros/as.

Toda essa gama de significados negativos e desinformação sobre a sexualidade da mulher pode ser traduzida pela comum pergunta: a mulher também goza no ato sexual? A discussão pode começar considerando que, uma vez que o prazer na mulher aparece equivocadamente associado à ejaculação, o gozo e o prazer femininos, para serem compreendidos, passam por essa dissociação. Esta ênfase dada à ejaculação masculina e a falta de compreensão dos mecanismos fisiológicos da excitação e do prazer na mulher, talvez seja um reflexo da falta de conhecimento da sexualidade humana nos homens e nas mulheres, principalmente, na nossa cultura ocidental.

Tem sido muito comum, nos trabalhos que realizo, questionamentos acerca da existência de uma provável "ejaculação feminina". Em muitas mulheres (não em todas), durante o orgasmo, toda a região denominada soalho pélvico (vagina até o ânus), inicia rápidas contrações. No caso de intensa excitação e, dependendo de mulher para mulher, ou seja, dos níveis alcançados de excitação, a vagina pode apresentar-se altamente lubrificada. As contrações vaginais podem, então, fazer com que, durante o orgasmo, ou após ele ter acontecido, o líquido lubrificante escorra para fora, dando a impressão de que a mulher está "ejaculando".

Quanto à compreensão deste fenômeno biológico feminino, a cultura sexual chinesa parece estar a anos luz do ocidente. Na obra que descreve a sexualidade daquele povo oriental, no livro "Os Nove Caminhos da União", são apresentadas nove situações de prática sexual, entre um homem e uma mulher. Em praticamente todas elas, há a menção de uma provável "ejaculação feminina" como demonstração do alcance do mais profundo prazer: 1º caminho (Dragão) ... "no fim, retém os líquidos expelidos dentro de si, tornando-se forte ..."; 2º caminho (Cavalgada do Tigre) ... "A gruta da mulher, primeiro, fecha-se com força na 'grande chuva' e, em seguida, dilata-se; se os líquidos fluem para fora, o intercâmbio sexual chegou ao fim e surge a oportunidade de descansar ..."; 3º caminho (Macaco Saltitante) ... "A mulher fica tão quente e excitada que os fluídos do prazer brotam tal chuva" ...; 4º caminho (Grilo Grudado) ... "A mulher é tomada de excitação, e seus fluídos correm ..."; 5º caminho (Tartaruga que sobe) ... "Quando seu fluído se derrama com abundância, o homem dá o golpe mais profundo ..."; 6º caminho (Fênix Esvoaçante) ... "Quando as nádegas se contraem de repente, a portinhola de jade da mulher se abre e os fluídos de seu prazer esguicham para fora com força ..."; 7º caminho (Coelho que suga o cabelo) ... "A mulher experimenta o gozo e sua essência flui para fora como um regato. Nela o prazer alcança uma altura divina ..."; 9º caminho (Grou de pescoço entrelaçado) ... "A mulher deita-se com abundância, e sua gruta de jade transborda ..."[28].

Além das discussões que envolvem o conhecimento pessoal, a capacidade de ver a sua sexualidade de forma tranqüila, a afinidade com o(a) parceiro(a), a tranqüilidade no ato sexual, o erotismo ... é importante também considerar as possibilidades para a mulher do prazer e do orgasmo derivados tanto da estimulação vaginal como da clitoriana – desmitificando a idéia de que "para mulher é mais difícil chegar ao orgasmo" ou que "o melhor é o sexo vaginal", apenas.

Mito do significado do orgasmo, do prazer e da *performance* individual

A saúde psíquica depende da potência orgástica, isto é, do ponto até o qual o indivíduo pode entregar-se, e pode experimentar o clímax de excitação no ato sexual natural. As enfermidades psíquicas são o resultado de uma perturbação da capacidade natural de amar ... e são a conseqüência do caos sexual da sociedade, que tem sujeitado o homem às condições dominantes de existência ... tornando-o incapaz de agir independentemente.

W. Reich (1995, p.16)

Primeira idéia que se constitui no mito:
que o prazer na relação está associado, somente, ao ato de gozar (ter orgasmo).

Segunda idéia que se constitui no mito:
que o objetivo final do envolvimento sexual é o orgasmo, que deve ser, ansiosa e rapidamente buscado.

Terceira idéia que se constitui no mito:
ser "bom de cama" significa conseguir, numa relação sexual, "agüentar mais" ou conseguir "mais vezes" numa noite (ou num dia) ou numa mesma noite, obter vários orgasmos.

Para muitos, o envolvimento que culmina com o ato sexual representa o máximo do contato íntimo entre duas pessoas, que pode envolver amor ou não. Essa experiência não é só física, mas constitui-se também num ato de comunicação, de conhecimento, de afeto, que para muitas pessoas acaba se convertendo numa simples preocupação com o desempenho individual. Ao se deixar levar por essa idéia, os parceiros podem ser comparados a dois "atletas" tentando alcançar a "bandeirada de chegada", "competindo em raias opostas".

Penso que os mecanismos do desejo, da fantasia sexual e da busca pelo prazer, podem apresentar um forte componente individualista e egoísta, principalmente quando a relação é eventual, movida muito mais pelo desejo, pelo tesão, pela paixão, do que pelo amor. Isto faz parte do envolvimento sexual humano e seria hipocrisia negar que as pessoas fazem sexo apenas por prazer. Mas não me refiro a este aspecto. Refiro-me à angústia e à pressa experimentada por muitos nas relações sexuais que faz com que se aproveite pouco os momentos prazerosos decorrentes de uma ansiedade em "chegar ao fim".

A experiência do orgasmo, do clímax sexual, o momento final de uma grande e prazerosa viagem que, numa analogia, poderia ser considerada o momento da chegada de um passeio. Mas, e a paisagem? As belezas da natureza? Tudo isso se perde ... pois a maioria da "viagem" passa rápido demais. Talvez sejamos o reflexo de uma sociedade também angustiada e com pressa. Penso que na vivência da sexualidade incorporamos os aspectos definidores da sociedade ocidental capitalista que nos rege. Transferimos, também para as atividades sexuais a noção de competitividade, mensuração, desempenho, *performance*, comparações, etc. Somos escravizados por essa idéia que nos leva a uma busca frenética de um produto final (o orgasmo) – automaticamente e de modo eficaz. No mundo ocidental muitas pessoas são vítimas dessa própria imposição e os que se deixam levar por este mito aproveitam muito pouco a "mágica do encontro" e o tempo de estar "a sós e à toa". Conseqüentemente, os prazeres da sexualidade acabam resumindo-se na busca ansiosa pelo orgasmo, como se precisassem provar para si mesmos e para seu (sua) parceiro(a) que o alcançam ou que o proporcionam.

Diferentes culturas têm nos mostrado como a forma de definir os envolvimentos afetivos e íntimos adquire distintos significados na definição de concepções da sexualidade ligadas a certas posições sexuais. Nas práticas sexuais orientais, baseadas nas "doutrinas taoísta e tântrica, certas posições e ritmos de cópula podem ter um efeito terapêutico, ao permitirem que o corpo corrija seus desequilíbrios. Por exemplo: atribui-se a algumas posições a melhoria da circulação sangüínea; a outras, o fortalecimento dos ossos, a tranqüilidade de espírito, o aumento da produção de tutano ou o ajuste do organismo como um todo"[29].

Outro aspecto que este mito nos mostra, relaciona-se com a ótica de contextualização histórica das concepções acerca da sexualidade, analisada como resultantes de um jogo de poder estabelecido por mecanismos econômicos, pelo modelo capitalista de produção e consumo. Nessa tentativa de ampliar esta visão (a do poder exercido pelas instituições sociais sobre as vivências da sexualidade individual e coletiva), Michel Foucault (1993), no Volume 1 de "A História da Sexualidade", afirmou existirem dois procedimentos que, historicamente produziram "as verdades" sobre o sexo, e, portanto, moldam nossas concepções frente a sexualidade.

Primeiro, originário no Oriente, a *ars erotica*, via na prática do sexo a possibilidade da humanidade alcançar o prazer e a experiência. Nesta visão, não há a noção de proibição do sexo nem a tentativa de dar-lhe alguma explicação de utilidade (como vai acontecer na visão ocidental que busca reprimi-lo e associá-lo à reprodução). Há, sim, discrição: a idéia de que o sexo deve ser visto como algo íntimo, privado, não de domínio público (muito menos de sua interferência), tal descrição. Tal descrição é vista como fundamental para se alcançar a eficácia na atividade sexual, o que confere aos seus praticantes certos privilégios como o "domínio absoluto do corpo, gozo excepcional, esquecimento do tempo e dos limites, elixir de longa vida, exílio da morte e de suas ameaças"[30]. Por isso cultua-se demoradamente os rituais, os banhos, os chás, as massagens, a meditação, os exercícios respiratórios.

Na filosofia hindu, por exemplo, encontramos no ritual do amor tântrico um ritual sexual constituído por uma gradual sucessão de atividades físicas e espirituais, que culminarão com o orgasmo. É iniciado pela decoração do ambiente com flores, frutas, incenso, música e luz de velas. A seguir, os amantes banham-se juntos, passam óleo no corpo e massageiam-se um ao outro. Depois dessa etapa inicia-se um período de meditação e respiração (alternando-se as narinas), seguido pelo canto do mantra, durante o qual ambos os parceiros se imaginam como *Shiva* e *Shakti* (o casal supremo). A mulher coloca-se do lado direito do homem, que continua a acariciá-la e a beijá-la por todo o corpo, dos dedos do pé à cabeça. Na mesma seqüência, ela lentamente o excita com as mãos e os lábios. Finalmente, a mulher move-se para o lado esquerdo do homem, para o último estágio de penetração sexual, em que se experimentam várias posições de cópula até que cada um deles sinta o "poder transcendental do amor", atingindo o orgasmo[31].

O exemplo acima referiu-se ao mantra, um recurso oriental sonoro, que pode estar associado à melhoria da sexualidade, a partir da canalização de fluídos pela meditação. É um tipo de som, ou série de sons, recebidos de um guru e repetidos, em voz alta ou silenciosamente, como meio de focalizar a mente durante a meditação, assim como para relaxar o corpo e liberar forças primais. De acordo com mestres hindus, um mantra repetido durante a cópula tem o efeito de despertar a energia sexual e de elevar a paixão ao máximo[32].

Outras culturas orientais que ilustram a *ars erotica* como concepção de vivência da sexualidade, mostram-nos como as práticas sexuais podem ser baseadas na calma, na contemplação e no relaxamento. Destaca-se a água como um importante componente nesses rituais: "na China e no Japão, a água é considerada uma substância erótica e purificadora, tanto para o corpo como para a mente. São comuns os banhos cerimoniais (chuveiros, banheiras quentes compartilhadas, lavagem dos órgãos sexuais) prescritos como ritual religioso antes da cópula ou após a menstruação[33].

Os princípios fundamentais do pensamento chinês sobre a sexualidade e o erotismo compreendem a doutrina taoísta que, ao não separar corpo e espírito (na compreensão

Ocidental), define as práticas sexuais ao objetivo fisiológico de reforçar a "substância vital" no indivíduo. Ou seja, o ato sexual propicia a mistura do elemento feminino (*yin*) com o elemento masculino (*yang*). As substâncias vitais estariam na secreção vaginal e no esperma que, segundo esta filosofia, deve ser retido ao máximo, pois a ejaculação reduz a reserva vital. Nesta doutrina é preciso encontrar um equilíbrio entre retenção e ejaculação do sêmen. Quanto mais o sêmen é contido, mais energia vital chega ao cérebro. Essa energia daria vigor e vitalidade ao corpo, prolongaria a vida, livraria o indivíduo de diversos males e doenças (a "cura dos cem males"). O essencial consiste em que o homem mantenha relações com muitas mulheres, derramando pouco sêmen. "Dessa forma, o corpo é aliviado, todas as doenças são reprimidas ou curadas logo". "A capacidade de movimentar com força o líquido do jade (pênis = bastão de jade), sem ejacular, representa a chamada conservação do sêmen. Completar e reforçar constantemente o sêmen, é o caminho a percorrer para que o fogo da vida nunca se apague dentro de si"[34].

Na cultura chinesa, a exemplo do que se observa no Kama Sutra indiano, se cultua os rituais que envolvem a meditação, o relaxamento, a calma no ato sexual. A arte chinesa do amor, no livro "Como Alcançar a Harmonia", há a descrição do envolvimento entre um homem e uma mulher, onde nos é possível perceber a diferente concepção sexual do Oriente, quando comparado à nossa cultura: "se um homem e uma mulher praticam o sexo juntos pela primeira vez, o homem geralmente fica sentado à esquerda da mulher e a mulher, à direita do homem. O homem cruza as pernas e aperta a mulher contra o peito. Abraça sua cintura esbelta, acaricia seu corpo de jade e a envolve numa conversa sobre a maneira de se aproximarem e se ligarem. Assim que os sentimentos e as intenções entram em harmonia, eles se abraçam; boca é apertada contra boca. O homem suga o lábio inferior da mulher, enquanto a mulher suga o lábio superior do homem. Os dois trocam beijos e sorvem a saliva um do outro, mordendo, também, suavemente, a ponta da língua do outro ou seus lábios, seguram a cabeça do companheiro com ambas as mãos, encostam-se com força um ao outro e beliscam-se nas orelhas. Acariciam-se nas partes de cima, enquanto massageiam carinhosamente as partes inferiores, beijam-se do lado esquerdo e sugam do lado direito. Dispensam-se mil carícias, espantando as cem preocupações. Depois disso, o homem faz com que a mulher segure seu bastão de jade com a mão esquerda, enquanto acaricia a porta de jade com a direita, fazendo com que o homem seja atingido com a energia vital do elemento feminino; seu bastão de jade se entesa ... A mulher, por sua vez, é alcançada pela energia vital do elemento masculino, e os líquidos do prazer começam a fluir de sua caverna de cinábrio. Quando a excitação atinge este ponto é chegada a hora da união"[35].

Baseados neste mesmos princípios, habitantes do norte da Índia (os drádivas), acerca de 8.000 anos, desenvolveram um ritual para alcançar a máxima satisfação na relação sexual, numa técnica denominada de *Tantra*[36]. Dentre os ensinamentos tântricos destacam-se as 05 (cinco) posições básicas, entre um homem e uma mulher, para se alcançar o chamado "orgasmo cósmico": *tiryakãsana, purushãyita, upavishta, janujugmãsana* e *vitana-bandha*. Acreditam também que, ao controlar melhor a ejaculação, o pênis teria mais chances de tocar numa região vaginal conhecida como Svadhisthana Chackra (um equivalente ao polêmico e ocidental ponto G), proporcionando à mulher o orgasmo; busca-se durante a relação o controle da libido até o limite do gozo, provocando várias vezes o orgasmo, sem deixar, contudo, que a ejaculação ocorra. Com isso, os índices hormonais aumentam. Trata-se de um condicionamento orgânico sexual, precedido por concentração, exercícios de respiração e de ioga, com vocalização do mantra e visualização dos iantras (símbolos associados a certas práticas sexuais)[37].

Outra filosofia oriental da sexualidade é o *Kama Sutra*, escrito entre os séculos I e IV d.C., por *Mallinaga Vatsyayana: Kama* (amor), *Sutras* (estilo literário que consiste de expressões concisas com um mínimo de palavras = 'aforismos sobre o amor')[38]. Embora o *Kama Sutra* tenha se popularizado como uma obra erótica, de desejo e luxúria, o real sentido da palavra *Kama* é o de apresentar todas as possibilidades de relações entre homem e mulher, educação, namoro, casamento e vida conjugal. "Portanto, a abordagem de Vatsyayana não é essencialmente a do prazer erótico. Na verdade, a primeira parte do Kama Sutra não trata absolutamente de questões relacionadas com o sexo, mas dos ideais e realizações de um *nagarika*, ou homem citadino, e das características dos tipos diferentes de mulheres. A parte II trata, é certo, das uniões sexuais, mas a parte III se ocupa da aquisição de uma esposa, e a parte IV, da vida familiar"[39]. É, portanto, uma obra que define um código de ética de conduta humana, tanto no âmbito privado como no público, exaltando que o desenvolvimento dos sentidos (visão, tato, paladar, audição e olfato) deve estar em harmonia com a mente e a alma, na busca pela realização plena da sexualidade.

Em contrapartida, a outra forma de entender a conotação dada ao sexo e a sexualidade, é a originária no Ocidente: a *scientia sexualis* que, ao legitimar contraditórias instituições como a Igreja, a Moral, a Família, a Escola e a Ciência, transforma o sexo em objeto, sujeito ao julgo e à regulação de técnicas como a confissão, a culpa, a justiça criminal. O confessionário católico sempre foi o meio de controle da vida sexual dos fiéis. "Em algum momento, no final do século XVIII, a confissão como penitência transformou-se na confissão como interrogatório"[40]. O sexo passa a ser um segredo e a ciência moderna, ao constituir-se com *scientia sexualis*, está pronta a "produzir discursos verdadeiros sobre o sexo"[41], ajustando a repressão, da obrigatória confissão imposta às regras do discurso científico.

Este discurso, além de definir "as verdades" sobre o sexo, é também aquele que o estuda, que o tabula, que o mensura; que apresenta o desempenho sexual de homens e mulheres através de percentuais, de quadros e de tabelas; que mede e define padrões médios para o tamanho do pênis, tempo para o orgasmo, quantidades de relações sexuais por semana, mês, ano, padrões de relacionamento sexual e afetivo; enfim, que torna a humanidade ocidental obstinada, ansiosa, rápida, transformada no angustiado "trepador compulsivo"[42]. Ou seja, são essas "verdades" que obrigaram e obrigam as pessoas a se enquadrar em padrões definidos pela normatização científica, na medida em que passam a definir a "sexualidade normal". Mais do que isso, o estudo e a formulação de "verdades" sobre a sexualidade definiram diversos contextos de poder e "conhecimentos", especialmente os diretamente relacionados à condição feminina.

Na sociedade ocidental, essa visão pode ser ilustrada pelos estudos pioneiros dentro da área da descrição da resposta fisiológica sexual de homens e mulheres, que nas últimas décadas foram apresentadas por Alfred Charles Kinsey (1894-1956) que publicou os livros "O Comportamento

Sexual Masculino" (1948) e "O Comportamento Sexual Feminino" (1953), popularmente conhecidos como os Relatórios Kinsey; o casal William H. Masters & Virginia E.Johnson, através da obra "A Conduta Sexual Humana" (1966), e em conjunto com Robert C. Kolodny, em 1997, atualizam este trabalho com a obra "Heterossexualidade"; Shere HITE que nos anos 70 publicou "O Relatório Hite de sexualidade Feminina" e "O Relatório Hite de Sexualidade Masculina", e Helen Singer Kaplan, com a obra "A Nova Terapia do Sexo" (1974). Todas são obras que revelam uma maior tendência ao enfoque biológico e à mensuração do desempenho e da *performance* sexuais de homens e mulheres. Estes trabalhos demonstram a tônica que o Ocidente conferiu e confere à sexualidade humana, mais precisamente à sociedade da América do Norte, no que Foucault chamou de *scientia sexualis*.

Critico a tônica da ciência sexual, que historicamente tem escravizado a sexualidade do Ocidente ao enquadra-la em padrões normativos. No entanto, considero importante todo o conhecimento que tem possibilitado a derrubada dos mitos sexuais, especialmente aqueles de origem biológica/fisiológica. Penso que, a partir de suas análises, é possível entender e se apropriar daquilo que pode contribuir para a felicidade humana vislumbrando, sempre, a possibilidade de superar suas intenções reguladoras e normativas. Apresentar este enfoque é uma das possibilidades que a Educação Sexual pode assumir.

Outro ponto de vista, permeado pelas explicações científicas dentro da construção do comportamento sexual humano, agora sob a ótica da Biologia Evolucionista, busca confrontar os resultados da ciência sexual com a influência cultural, discutindo as diferenças no comportamento sexual entre homens e mulheres. Refiro-me aos estudos de Masters & Johnson (1981) que revelaram haver um padrão básico para o orgasmo masculino. No entanto, o orgasmo feminino apresentou uma gama de cinco variações observadas nas pesquisas dos referidos autores. A explicação para esta menor variação no comportamento masculino poderia residir no fato de que, para a sobrevivência da espécie (assim como para as espécies animais), o orgasmo masculino (mais precisamente a ejaculação), é essencial para a reprodução. É de se supor, na lógica da teoria evolucionista, que sendo assim, a rapidez com que se chega ao orgasmo teria sido uma característica que esteve mais sujeita à seleção biológica. Como conseqüência, e considerando a necessidade em maximizar a reprodução, quanto mais rapidamente se chegasse ao orgasmo, melhor para a espécie. Com isso as chances do ato sexual ser interrompido antes dos gametas serem depositados no aparelho feminino diminuiriam. Nesta lógica, é de se esperar que a seleção natural tenha favorecido os indivíduos que, mais rapidamente, alcançassem o orgasmo, pois estes teriam mais chances de deixar seus descendentes.

No caso feminino, há uma possibilidade interessante de explicação para aquilo que seria uma maior diversidade e versatilidade prazerosa da sexualidade na mulher: uma vez que seu orgasmo não é tão importante para a reprodução (praticamente "indispensável"), a natureza pôde "permitir" uma maior variação, uma vez que não há tanta pressão seletiva. Essa conclusão decorre da noção de que características que não são tão essenciais para a sobrevivência de um indivíduo ou de uma população, não estão tão fortemente sujeitas a variações seletivas. Portanto, as mulheres podem ter uma vida sexual mais prazerosa, baseada num desenvolvimento biológico e comportamental, onde o clitóris talvez tenha sido o principal privilegiado deste mecanismo evolutivo.

Este é um exemplo de discurso sobre a sexualidade – o discurso da sociobiologia que enfatiza as explicações biológicas para comportamentos sociais. Diante dele, podemos pensar: qual o papel da nossa cultura neste contexto? Como ela pode e tem reforçado esses padrões de comportamento? Como ela tem favorecido a manutenção desse e de outros mitos? Uma possibilidade é a de exercitarmos a descrição dos mecanismos envolvidos nos rituais de iniciação sexual adolescente presentes em nosso meio, principalmente, em relação ao comportamento masculino. Em relação aos homens, na maioria das vezes, as condições em que se encontram para iniciar sua prática sexual de forma mais consciente está repleta de situações angustiantes e que exigem habilidade e rapidez: com a garota de programa é necessário ser rápido pois "tempo é dinheiro". Outras situações não são muito diferentes: no banheiro do colégio, na garagem do prédio, no quarto, na casa do amigo. Com isso os adolescentes acabam se acostumando a essa situação de insegurança, intranqüilidade e rapidez.

Com toda a característica vigiante de nossa sociedade, é difícil e provavelmente impossível que não se instale um clima de ansiedade e tensão nas primeiras relações íntimas. No entanto a ansiedade não precisa persistir. Neste caso o comportamento humano está muito atrelado àquilo que, desde a infância, estamos aprendendo. Portanto, nos trabalhos de Educação Sexual também se pode lidar e refletir sobre ansiedades e angústias, afim de superá-las a partir da compreensão de suas origens e significados.

Nos trabalhos de Educação Sexual, as perguntas formuladas, referentes a este tema, são do tipo: a) Que tempo máximo uma mulher "agüenta" fazendo sexo?; b) O que a mulher sente na hora da penetração? Além do mito da *performance* individual é preciso desmitificar a existência de padrões pré-fixados para a sexualidade humana. Estes inexistem, principalmente quando se trata do componente pessoal associado e determinante das preferências individuais. Outra questão é considerar que temos uma sexualidade definida por preferências que não são necessariamente fixas. O que gostamos de fazer ou deixar de fazer no sexo está diretamente relacionado com a(o) parceira(o), com os níveis do desejo e da excitação, com o grau de maturidade em que nos encontramos, com a relação direta de tudo isso com as oportunidades e influências que nos são oferecidas e que podem possibilitar a experimentação de novas práticas sexuais. Portanto temos uma sexualidade potencialmente mutável ao longo de toda nossa vida, tanto quanto mais conseguirmos nos libertar dos mecanismos de enquadramento e disciplinamento social.

Outro questionamento: c) Um homem consegue gozar, no máximo, quantas vezes durante uma noite com uma mulher, sendo que este homem não possui muita experiência? Aqui, se evidencia o mito da *performance* masculina. É preciso discutir o desempenho sexual como aspecto individual, determinado por inúmeros fatores, entre eles, a fase da vida, o grau de tranqüilidade para o ato sexual, o grau de excitação, a afinidade entre os parceiros, a discussão do binômio "qualidade *versus* quantidade".

Na pergunta, "d) O que ocorre com o pênis após a primeira transa?", é possível perceber que a dúvida gira em torno da possibilidade de acontecer alguma transformação morfológica surpreendente ou indesejável no órgão em questão (receio muito comum entre adolescentes púberes). A impressão que tive é de que o adolescente queria saber se olhando para o pênis de alguém, após o ato, pode-se perceber alguma mudança que o "delate" (como essas invenções sobre a masturbação, de que aparecem espinhas no rosto). Lembro do comentário que fiz quando li, certa vez, esta pergunta (de certa forma um tanto quanto instintivo e brincalhão): no mínimo o pênis fica satisfeito e muito contente! Talvez frustrado e triste! O que vocês acham?

Outras dúvidas comuns podem ser vistas nas perguntas a seguir: "e) Duas pessoas podem fazer sexo até não quererem mais?"; "f) Qual a sensação antes de uma transa?" e "g) Em que momento ocorre o prazer?". As questões e) e f) revelam o grau de desconhecimento daqueles que pretendem se iniciar na prática sexual e que apresentam uma série de dúvidas e receios. Pela análise do enfoque dado nas questões, o principal objetivo é saber se há alguma pré-disposição orgânica e/ou alterações no organismo perceptíveis e passíveis de serem aprendidas. Uma forma é conduzir a discussão a partir da compreensão das mudanças do organismo humano nas fases de preparação, excitação e a relação sexual. No entanto, mais do que isso, penso que a idéia das diferenças e preferências individuais precisa ser reforçada, a fim de romper com os fortes mitos que envolvem a *performance* sexual de homens e mulheres, atreladas a padrões únicos de comportamento. Também é preciso incentivar o autoconhecimento sexual, longe de manuais convencionados, lembrando que cada envolvimento íntimo e afetivo também requer empenho em conhecer o(a) parceiro(a), suas preferências, seus limites, suas possibilidades.

Outro aspecto importante, trazido pelo questionamento g), refere-se à idéia de que o prazer está vinculado exclusivamente ao ato de gozar, de alcançar o orgasmo. Para esta visão (que já discuti, anteriormente), a meta principal de qualquer envolvimento sexual seria atingir o orgasmo, limitando as possibilidades de uma maior exploração do corpo e da descoberta de inúmeras outras sensações proporcionadas pelos chamados "jogos sexuais", além de depositar uma enorme carga de responsabilidade e ansiedade em alcançá-lo. Portanto o mito do orgasmo, como principal objetivo nas relações sexuais, por apressar os parceiros e diminuir o nível de qualidade do prazer, precisa ser discutido e desmitificado na educação sexual.

Mito do tamanho do pênis

Não adianta negar: os homens morrem de curiosidade para ver o pinto dos outros, para se posicionar num ranking secreto. Cada centímetro a mais recebe uma conotação especial. Na verdade, a medida do pênis é muito mais uma curiosidade do que uma necessidade prática.

Roberto Wüsthof (1994, p. 31)

Primeira idéia que se constitui no mito:
quanto maior o pênis, maior será o prazer da mulher ou as mulheres "preferem" homens com grandes pênis.

Segunda idéia que se constitui no mito:
quanto maior o pênis, mais viril, mais potente, mais macho e mais "homem" se é.

As preocupações relacionadas a aparência do pênis, sem dúvida, têm se revelado como o principal fantasma da sexualidade masculina em todas as faixas etárias. Embora o tamanho seja a preocupação primeira, há outras inseguranças como "será que ele não é torto demais?", "ele parece tão escuro!", "parece tão fino"...

A Educação Sexual pode ajudar em algumas reflexões: uma delas é compreender que as pessoas, em inúmeras características físicas, são diferentes. Os meninos começam a perceber as mudanças corporais na puberdade, onde o pênis começa a liberar esperma, a crescer, a engrossar, escurecer... e esses processos diferem de garoto para garoto. O problema não está na diferença. O problema está nas informações socioculturais (nos significados) que reforçam as idéias do mito do tamanho do pênis e que deixam rapazes e homens neuróticos, num processo infindável de comparação, insegurança e ansiedade. Essa angústia é que pode, sim, tornar-se um grande obstáculo para auto-estima e para a vivência da sexualidade masculina.

Outra reflexão é quanto ao período de crescimento do pênis: há uma ampla variação que, embora ocorra mais intensamente na puberdade, em certos casos pode persistir acima dos 21 anos. A cor e a textura, tanto do pênis como dos testículos também se modifica, dependendo do estado, mais escuro quando flácido e mais claro quando em ereção, uma vez que a pele esticada pelo aumento da quantidade de sangue, distribui mais os pigmentos da pele.

É bom lembrar que a aparente sensação de um pênis pequeno pode estar relacionada ao acúmulo de gordura, especialmente quando concentrada acima da região púbica, fazendo com que esta camada adiposa encubra parte do órgão. Esta é uma situação (desde a moderada até a grave obesidade), que faz com que o pênis se apresente bem menor do que realmente é e sugere a importância de uma dieta alimentar de qualidade, com atividades físicas regulares afim de garantir uma vida sexual saudável.

Tenho clareza de que dentro do comportamento masculino a idéia deste mito pode ser incorporada desde muito cedo (na infância) e se intensificar na adolescência, quando, ao buscar de forma compulsiva a comparação de seu pênis com o dos outros colegas, o jovem estabelece desleais e discriminatórias relações comparativas com a força física, a potência sexual, a virilidade, o "ser masculino". É como se o homem fosse, "naturalmente", mais forte, mais potente ou mais viril, por apresentar um "pênis grande"; e esta associação não é verdadeira.

Que significados culturais teriam essas comparações? Talvez possam ser interpretadas como tentativas de estabelecer relações de poder e conseqüente dominação, tanto entre os homens como nas relações homem-mulher, principalmente quando o homem acredita na necessária "dependência do prazer sexual da mulher" em relação ao seu órgão fálico.

Estudos arqueológicos[43] tentam explicar como, na evolução humana, o valor conferido ao tamanho do pênis masculino adquire seu significado presente. É provável que ao longo da evolução biológica o tamanho do pênis tenha, gradualmente, aumentado nos hominídeos primitivos, uma vez que o pênis humano, quando comparado ao de outros primatas, é enorme, visível mesmo no estado flácido. Este aspecto (de visibilidade aparente) teria sido o principal fator seletivo favorecido por outras duas características selecionadas (o andar ereto e a diminuição gradativa de pêlos pelo corpo) que expuseram, mais nitidamente, a genitália. "Além disso, ter um pênis tornou-se um sinal visual cada vez mais importante do sexo biológico do indivíduo – um critério visual de masculinidade"[44], sendo seu crescimento, portanto, garantido pela evolução.

O tamanho do pênis, nessa abordagem, teria pouca importância na capacidade de fertilização. Entretanto, teria enorme significado na conferência de um *status* de masculinidade, virilidade e conseqüentemente, valor, poder e respeito social. "Nos levantamentos atuais que buscam as razões de os homens se submeterem à cirurgia para aumentar o pênis, pouquíssimos citam pressão de um parceiro heterossexual, como a esposa. Os homens que se submetem a essa operação não estão muito interessados no prazer sexual, mas no respeito pelos outros homens. Ter o pênis grande é parte da competição entre os homens e talvez, aproxime-os"[45].

Quanto ao prazer feminino estar associado, necessariamente, ao tamanho do pênis, isto reflete um mito cuja manutenção reside em conhecimentos equivocados de conceitos biológicos, tanto ao nível anatômico como, e, principalmente, referente a sensibilidade da mulher e às suas preferências individuais. Na medida em que este mito direciona-se ao prazer feminino, reforça outra idéia: o "mito do sexo vaginal" como a principal e melhor prática sexual, como discutirei, a seguir.

Nos trabalhos de educação sexual, as perguntas formuladas referentes a esse tema são do tipo: a) O tamanho do pênis influencia no prazer da mulher? b) Qual o tamanho do pênis preferido pelas mulheres? Se na primeira pergunta há uma dúvida aparente, a segunda questão parte de uma afirmativa onde é possível perceber que o mito do tamanho do pênis, associado à preocupação com o desempenho e a virilidade masculina, persiste fortemente entre os homens. É fundamental discutir o corpo (os órgãos sexuais) e suas preferências individuais. Penso que algumas informações e reflexões podem ajudar, como considerar que, no estado de repouso, a vagina é frouxa e apenas levemente umedecida. Quando eroticamente excitada ela se distende e se intumesce, capaz de acomodar o pênis ereto. Assim, da mesma forma que é elástica o bastante para permitir a passagem de uma criança durante um parto normal, no momento da relação sexual ela se expande o suficiente, de acordo com o pênis, acomodando-o. Embora a extensão da vagina possa variar entre 8 a 15 cm, aproximadamente, estudos constataram sua maior sensibilidade ao redor dos 05 cm iniciais, fato este que, teoricamente, dispensaria, na busca do prazer feminino, grandes dimensões do órgão masculino.

Da mesma forma que os homens apresentam tamanhos de pênis diferentes, estaturas diferentes, preferências sexuais diferentes, etc, por analogia, nas mulheres as características físicas, bem como as preferências sexuais, também variam de mulher para mulher. Não há, portanto, regra geral e o mito do tamanho do pênis pode ser desmitificado.

Também é importante lembrar que a prática sexual de penetração vaginal pode se constituir numa entre tantas outras opções que levam ao prazer da mulher, tanto numa prática sexual com um homem ou com outra mulher. A importância dada somente ao sexo vaginal, através da penetração do pênis (especialmente entre homens e mulheres), não estaria significando, numa sociedade falocênctrica e machista, uma idéia de necessária dependência do prazer da mulher em relação ao homem? A exclusividade nesta prática não estaria demonstrando uma grande falta de criatividade entre os casais na busca de outras formas associadas e alternativas de prazer?

....

Mito do sexo vaginal

O Movimento Feminista constitui hoje uma realidade e uma inegável força política. Entretanto, talvez a força mais importante esteja na semente de questionamento e de reivindicação que surge na consciência das mulheres que, vivendo anonimamente o seu cotidiano, vem tentando transformá-lo e recriar a sua relação com o mundo, com os companheiros, com os filhos, consigo mesmas.

Branca Alves & Jacqueline Pitanguy (1981, p.70)

Idéia que se constitui no mito:
o ato sexual ideal e conseqüentemente, o preferido pelas mulheres, é aquele que privilegia a penetração vaginal, pelo pênis.

O sexo vaginal, ao ser reforçado pelos tabus contra os sexos anal e oral, revela como a criação de um mito pode estar vinculada às questões políticas de determinação ideológica das vivências sexuais dos indivíduos numa sociedade que busca legitimar práticas que define como permitidas (por exemplo, aquelas diretamente ligadas com a ideologia da reprodução e da heterossexualidade).

A matriz que legitima a idéia do mito, aqui, não é a biológica. Penso que o enfoque associado aos mecanismos de normatização sexual imposto a um gênero (o feminino) – a disputa de poder em ditar as "verdades" – é o que confere a este mito uma origem mais política-cultural do que orgânica. Um exercício interessante a fazer, não só como educadoras e educadores, mas possibilitando-o também aos participantes dos trabalhos de educação sexual (uma estratégia didático-metodológica) é a seguinte reflexão: a quem um mito ou a manutenção de um mito interessa? Quem tem maior interesse que uma idéia perdure e continue a moldar vivências?

Nos trabalhos de Educação Sexual, perguntas do tipo: a) Por que o sexo vaginal é o melhor? revelam uma "inquestionável" verdade que pode servir como ponto de partida à discussão, ou seja, problematizar até que ponto a legitimação tácita do sexo com penetração vaginal relaciona-se com o preconceito à masturbação clitoriana, ao sexo oral e ao sexo anal, por exemplo. Neste processo de raciocínio, é preciso relativizar o conceito do termo "melhor". Discutir as preferências individuais com questões de ordem cultural e social e com os aspectos ideológicos na determinação dos padrões de práticas aceitas. Penso que é possível reforçar a idéia de que em tudo na vida e, principalmente, em relação à sexualidade, as pessoas diferem quanto aos seus gostos e preferências. Somos diferentes e o que é bom para uns, pode não ser para outros. É preciso respeitar as individualidades, rompendo com os padrões impostos pela sociedade e pela cultura tidos como regra, e que nem sempre são consensuais.

Outro aspecto é discutir os reflexos e as implicações comportamentais decorrentes dessa crença que levam os homens (principalmente eles), a irem "com muita sede ao pote". Refiro-me ao comum esquecimento das ditas "preliminares" (importantes para muitas pessoas), na pré-disposição ao sexo – independente do tempo que durem e do caráter de inúmeras possibilidades que adquirem. Especialmente para muitas mulheres, esse tempo inicial garante um estado de relaxamento e excitação, que favorecerá uma futura penetração.

Outra reflexão a considerar é admitir também que é o prazer genital que culmina com o orgasmo – a sensação mais prazerosa e mais cobiçada na espécie humana. Contudo, nos mecanismos de busca do prazer feminino, para grande parte das mulheres o clitóris assume uma importância orgástica maior do que a estimulação vaginal. Fato este que mostra a necessidade da discussão deste e do mito a seguir.

Mito da estimulação clitoridiana

> *O comportamento humano é governado por um mecanismo de duplo objetivo – evitar a dor e procurar o prazer. A sexualidade, todavia, é única entre os impulsos, por ser essencialmente dominada pelo princípio do prazer.*
>
> Helen Kaplan (1990, p. 57)

Idéia que se constitui no mito:
é através da estimulação clitoridiana que a mulher será excitada ao ato sexual.

Observei nas pesquisas realizadas que este mito apresenta um componente de desconhecimento da sensibilidade anatômica da mulher e confunde pré-disposição ao ato sexual (excitação) com intensificação do prazer que leva ao clímax na relação ou, até mesmo, ao orgasmo. Para muitas pessoas (especialmente homens) há a certeza de que o contato direto (estimulação do clitóris), levará a mulher ao estado de excitação sexual e à conseqüente pré-disposição ao ato sexual. Neste aspecto, passam a acreditar e a considerá-lo, numa analogia, a um verdadeiro "interruptor de luz" que ao simples toque, promoveria uma "iluminação" instantânea. Esta idéia desconhece que a grande sensibilidade da região clitoridiana ao contato direto, antes da mulher estar relativamente estimulada/excitada, pode se constituir em sensação de profundo desconforto.

Nos trabalhos de Educação Sexual, as perguntas formuladas, referentes a esse tema, são do tipo: "por que em algumas mulheres o clitóris é tão saliente?" Refletir sobre essa questão é incentivar a discussão sobre o significado entre "normalidade", diversidade e variação anatômicas, considerando-as como possibilidades múltiplas do corpo da mulher, superando a idéia da existência de padrões únicos, inclusive quanto à anatomia os órgãos genitais.

A questão, "para que serve o clitóris na mulher?" suscita uma ampla discussão. A estratégia de formular perguntas e lançá-las para reflexão pode ser interessante como ponto de partida, como por exemplo: se no homem uma região de grande sensibilidade no pênis é a glande, na mulher é a vagina ... é o clitóris? O orgasmo na mulher é de origem vaginal ... ou clitoridiana? É a excitação vaginal ou do clitóris que produz o orgasmo na mulher? Qual a relação existente entre o ato de se masturbar e a estimulação do clitóris e/ou vagina?

Além da concepção generalizada de acreditar que é a estimulação clitoridiana que levará a mulher ao estado de disposição ao ato sexual, outra pré-concepção comum é a de conceber o orgasmo feminino possível apenas no ato sexual com penetração. Neste ponto, é possível desencadear a discussão a partir de duas afirmações: se no homem a região sensível do pênis é a glânde (por apresentar uma complexa rede de terminações nervosas) na mulher a maior sensibilidade é observada no clitóris, que provavelmente apresenta uma distribuição de nervos sensoriais idêntica a da glânde do pênis; a outra afirmação considera que a vagina é mais sensível ao contato próximo à sua entrada e nos tecidos mais profundos (terço externo). Pesquisas demonstraram que as mulheres respondem a uma combinação tanto de sensações vaginais como de estimulação do clitóris. No entanto, "a grande maioria sente que a excitação clitoridiana proporciona maior importante contribuição ao orgasmo. A pura excitação vaginal, geralmente, não provoca uma resposta orgásmica, a menos que seja acompanhada de fantasia altamente erótica, caso em que o 'orgasmo vaginal' tem base antes psicológica do que fisiológica. Por outro lado, a estimulação clitoridiana produz regularmente o orgasmo"[46].

Penso que é preciso incentivar a discussão no sentido de reforçar a importância da melhoria na qualidade dos relacionamentos afetivos e íntimos que passa, necessariamente, pelo autoconhecimento corporal e pelo conhecimento dos mecanismos simbólicos individuais que determinam nossas fantasias sexuais e preferências... e na conjugalidade, conversar muito sobre eles.

MITO DA ESTERILIDADE MASCULINA

> *...Sofia achou que tinha inventado uma bela história. Se ela não conhecesse nenhuma outra explicação para a alternância das estações do ano, certamente teria acreditado na sua história. Ela entendeu, então, que as pessoas sempre tiveram a necessidade de explicar os processos da natureza. Que elas talvez nem pudessem viver sem tais explicações. Por causa disso inventaram os mitos...*
>
> Jostein Gaarder (1995, p. 40)

Idéia que se constitui no mito:
que a intensa ejaculação levaria ao término das reservas de espermatozóides, o que tornaria o homem estéril.

Nos trabalhos realizados além da constatação dessa idéia (de tornar-se estéril), observei, também, a firme certeza de que o sêmen acaba, levando o homem a não conseguir ejacular (o que é perfeitamente compreensível em grupos de adolescentes que têm na masturbação a intensidade de suas atividades sexuais).

A questão principal aqui é a relação feita com a possibilidade de tornar-se impotente. Neste sentido, percebo uma confusão de ordem conceitual comum entre os jovens adolescentes pesquisados: a impotência é confundida (considerada sinônimo): ora, com a impossibilidade de não alcançar a ereção (o que o tornaria "brocha"), ora com a possibilidade da esterilidade e ora com a associação com a falta de sêmen.

Fertilidade é a capacidade de produzir gametas (espermatozóides), o que permitiria ao homem gerar filhos; seu oposto é a infertilidade ou esterilidade. A potência sexual relaciona-se com a capacidade de obter a ereção do pênis e concluir uma relação sexual com penetração. Caso o homem apresente esta impossibilidade ele é dito impotente sexual. A origem latina dessas duas palavras nos sugere uma das possibilidades da gênese dessa confusão conceitual: infertilidade = *impotentia generandi* (incapacidade de gerar); impotência sexual = *potentia coeundi* (incapacidade de praticar o coito).

A representação genital masculina sempre esteve relacionada ao poder e à força. Se nos reportarmos à Antigüidade, compreenderemos melhor a relação, culturalmente construída, sobre a idéia de ligação entre a genitália e a virilidade e potência sexual. Naquela época era somente dado aos homens o direito de testemunhar em juízo. "O juramento era feito com a mão sobre os testículos ... reminiscência de uma época em que confiança estava ligada à masculinidade"[47].

Na Bíblia, no livro *Gênesis*, há duas passagens onde comprova o valor dado aos testículos em momentos de juramento: "Abraão diz ao servo mais antigo de sua casa, que administrava todos os seus bens: 'Mete tua mão debaixo de minha coxa. Quero que jures pelo Senhor, Deus do céu e da terra...'"[48]. Numa segunda passagem, "... Israel chamou o seu filho José e disse-lhe: 'Se achei graça diante de teus olhos, mete, rogo-te, tua mão debaixo de minha coxa e promete-me, com toda a bondade e fidelidade, que não me enterrarás no Egito'"[49].

Os antigos hebreus costumavam praticar um ritual de colocar a mão no pênis de outro homem, mais precisamente nos testículos (gônadas sexuais que produzem os gametas). Ao praticarem este ato, pronunciavam um juramento, conhecido como juramento fálico. Este ato "também está presente entre os Waibirir da Austrália Central, que seguram o pênis de um visitante como forma de cumprimento semelhante ao apertar de mãos"[50].

Outras culturas também conferem poder ao produto do falo (o esperma). Mais precisamente os chineses acreditam que a retenção do esperma seria fundamental para a plena satisfação sexual masculina garantindo o sucesso da obtenção da ereção. A literatura chinesa conta que para iniciar o Soberano Amarelo (*Hunag Ti*), nos segredos do erotismo, os mestres escolheram três moças: *Su-uü* (a "moça simples" que tinha conselhos certos); *Ts'ai-uü* (a "moça exigente") e *Hsuan-uü* (a "moça misteriosa"). Diz a tradição que o Soberano Amarelo assim perguntou a "moça simples": "... quero obrigar-me a manter intercâmbio sexual mas meu bastão de jade (pênis) não quer erguer-se. O embaraço que isso me causa é visível no rosto, e a vergonha entranha em meu coração, deixando meu corpo salpicado de gotas de suor. Como o desejo e a luxúria enchem todo o meu interior, já tentei ajudar usando a força das mãos". O que fazer? A "moça simples" lhe responde que "aquilo que o Soberano pergunta é uma coisa que pode acontecer a qualquer um". Ao desejar manter relação sexual com uma mulher, deve saber que existe certa ordem nas coisas que devem ser obedecidas. Primeiro, deve esforçar-se para alcançar a energia vital (se refere ao acúmulo de sêmen não liberado em diversas ejaculações), e então seu bastão de jade se erguerá. "Captando com a própria boca o sêmen que esguicha, o homem faz refluir para dentro de si a energia vital nele contida e volta a abastecer o cérebro"[51].

Independente dos significados conferidos ao pênis ou ao esperma, hoje, na cultura científica ocidental, busca-se considerá-lo um órgão como outro qualquer (em importância), contudo com características e especificidades fisiológicas que lhe permite ser medido, radiografado, testado e operado. "A ereção não é uma mágica... trata-se apenas de um sistema especial de vasos sanguíneos que trabalham em regime de pressão... Um mau funcionamento do sistema de ereção não significa um fracasso do indivíduo como um todo, mas apenas um defeito de um órgão. Não é mais nem menos importante, mais nem menos humilhante que uma úlcera do duodeno ou do que uma miopia"[52].

Nos trabalhos de Educação Sexual, as perguntas formuladas referentes a este tema podem ser do tipo: a) Se o espermatozóide leva 40 dias para ficar maduro, um homem que ejacula todo o dia pode ficar estéril?

Penso que uma forma de discutir essas dúvidas é compreender o processo de divisão celular que origina os espermatozóides (a meiose). Sendo este um processo contínuo, independente do tempo de surgimento de um gameta, sempre haverá gametas concluindo sua formação, outros dando início a ela e outros em diferentes estágios. "Um espermatozóide demora três meses até estar pronto para ser ejaculado. A transformação da célula germinativa até o final demora aproximadamente 70 dias. No epidídimo são gastos outros 20 dias"[53].

Outras informações que podem ser úteis nas discussões: as técnicas atuais para verificação da esterilidade masculina (geralmente por homem com companheira e interesse em engravidar), incluem exames realizados pelo urologista/andrologista, e/ou técnicas do tipo: 1. entrevista (procura levantar aspectos da vida sexual, familiar e do trabalho); 2. exame geral do corpo (estruturas sexuais internas e externas); 3. espermograma (análise microscópica do sêmen, observando intervalo correspondente ao ritmo de abstinência do casal. Outros parâmetros possíveis de serem observados através deste exame, além da contagem de sptz por milímetro, refere-se ao pH, volume total ejaculado, morfologia e mobilidade dos gametas.

O diagnóstico acerca da esterilidade masculina pode estar relacionado: 1. com a baixa produção de gametas, em número insuficiente para fecundar o óvulo; ou, 2. má formação dos espermatozóides produzidos (que os impedem de apresentarem uma locomoção apropriada e/ou incapacidade em penetrar no óvulo); ou, 3. Azoospermia (ausência total de espermatozóides no esperma), que pode ser causada por deficiência hormonal (das gonadotrofinas – LH e FSH, produzidas no cérebro), de ação direta nos testículos (para que estes possam produzir a testosterona e, com este estímulo, produzir os gametas). Há casos em que a produção de sptz é normal, entretanto, observa-se obstrução no seu "trajeto" dos testículos ao pênis. A mais comum é a oclusão ou entupimento dos canais deferentes, que podem ser causadas por lesões em cirurgias de correção de hérnias, traumatismos de escroto. Outras causas podem estar relacionadas às epidimites (inflamação do epidídimo) comuns após casos de infecção por DSTs.

Quanto à questão da esterilidade masculina, é conveniente lembrar que, normalmente, a quantidade de sêmen ejaculado é em torno de 3,5 ml, o que corresponde à cerca de 400 milhões de gametas masculinos. É considerado estéril o homem que apresentar volume de sêmen inferior a 2 ml ou 60 milhões de espermatozóides ou menos, numa ejaculação. Portanto, somente exames específicos podem definir um homem como potencialmente estéril ou não.

É preciso separar a virtude masculina (o valor social de ser homem), com aspectos relacionados à práticas ou à *performances* sexuais; da mesma forma que é preciso dissociar questões de ordem biológica (como esterilidade, produção de gametas) com o desempenho sexual satisfatório. Para isto, talvez seja interessante discutir a vasectomia (uma prática de anticoncepção onde apenas os gametas deixam de constituir o sêmen, podendo o homem ejacular normalmente sob o ponto de vista biológico).

A impotência masculina pode estar relacionada à questões biológicas do tipo: doenças degenerativas, que podem impedir ou dificultar a ereção; alcoolismo; diabetes; hipertensão; uso de medicamentos como tranqüilizantes e barbitúricos; alimentação rica em colesterol, provocando a arteriosclerose das artérias do pênis; hábito em fumar; deficiência na produção dos hormônios sexuais; acidentes que provoquem lesões nos genitais; má formação do pênis.

Em muitos casos, medos e ansiedades masculinas, determinados pelos mitos, é que dificultam a vida sexual do homem sob o aspecto eminentemente emocional e psicológico, levando a sérios problemas como a ejaculação precoce e a impotência.

Independente de causas biológicas ou emocionais, a Educação Sexual deve discutir este fenômeno no âmbito coletivo de sua compreensão dentro da sexualidade humana. Nós, educadoras e educadores, não devemos ter a pretensão de abordar tais questões a nível individual. Esta é uma área de delicada atuação da urologia e da psicologia, que requer muitos exames clínicos e apurado acompanhamento pessoal, possível somente aos profissionais da área, capacitados para tal.

Mito do uso
da pílula anticoncepcional

Todo sistema sexo-gênero organiza o sexo, o gênero e os bebês. Uma divisão do trabalho por sexo, na qual as mulheres maternam, organiza os bebês e separa as esferas doméstica e pública. O casamento heterossexual, que em geral dá aos homens direitos às capacidades sexuais e reprodutivas das mulheres e direitos formais sobre os filhos, organiza o sexo. Ambos juntos organizam e reproduzem o gênero como uma relação social desigual.

Nancy Chodorow (1990, p.26).

Idéia que constitui-se no mito:
mulheres que tomam a pílula, terão características sexuais secundárias masculinas como: pelos no corpo, barba e bigode, voz grossa, modos e atitudes mais agressivas.

Na mulher, os hormônios produzidos ao nível da hipófise atuarão nos ovários, possibilitando a produção de estrogênio e progesterona que, no período da puberdade, serão responsáveis pelo aparecimento das características sexuais secundárias. O mesmo acontecendo nos homens pela ação da testosterona, produzida nos testículos.

As pílulas anticoncepcionais, introduzidas pela primeira vez nos Estados Unidos, em 1960, apresentam constituição química a base de hormônios sintéticos femininos (estrogênio e progesterona). Atualmente são definidas como pílulas de baixa dosagem, sendo, portanto, "muito diferentes daquelas dos anos 60; têm um quarto ou menos de estrogênio e cerca de um décimo do progestogênio... As concentrações mais baixas de hormônios causam menos efeitos colaterais"[54].

O objetivo da pílula é evitar a ovulação. Sua escolha como método anticoncepcional para algumas mulheres depende do grau de adaptação de acordo com o tipo da pílula e dosagem correspondente, o que só pode ser avaliado e prescrito por profissional médico.

Além de impedir a ovulação, a progesterona atua engrossando a região muco vercical, o que dificulta a penetração do sêmen, além de produzir alterações na mucosa uterina que impedem a implantação de um possível óvulo fecundado. "As pílulas reduzem o risco de câncer de ovário e endométrio. Também diminuem em 75% a incidência de tumores não cancerosos no seio e o risco de cistos ovarianos e tumores uterinos. As mulheres usuárias têm apenas 50% das chances das não usuárias de desenvolverem artrite reumatóide e correm menos riscos de ter anemia por deficiência de ferro, gravidez ectópica e doença inflamatória pélvica"[55]. Como principal benefício, o uso da pílula tem atuado na regulação do ciclo menstrual, diminuindo problemas relacionados ao aumento de fluxo, cólicas e dores durante a ovulação; minimizam os efeitos da SPM (Síndrome Pré-Menstrual) e, ocasionalmente, a incidência de acnes.

Os possíveis efeitos colaterais não são, necessariamente, os descritos na idéia desse mito. Os desequilíbrios hormonais não estão ligados ao uso da pílula e sim às possibilidades de imaturidade orgânica, à descontroles do ciclo menstrual provocados por diversos fatores (entre eles, instabilidade emocional), ou ainda, distúrbios nas supra-renais que poderiam ser responsáveis por características sexuais secundárias masculinas na mulher, uma vez que estas glândulas produzem hormônios masculinos. Também podem ser comuns: aumento de peso de 1 a 2 quilos (geralmente causado pela retenção de líquidos), nos meses iniciais; queixas de náuseas, sensibilidade nos seios ou tonturas, constipação, fadiga, ligeiras elevações da pressão sanguínea, edema (inchação) e *rash* cutâneo (inclusive manchas escuras no rosto, passíveis de aumentarem por exposição no sol) sangramentos fora do período menstrual, aumento das secreções vaginais e uma maior suscetibilidade a infecções vaginais[56].

Em se tratando de sexualidade, estudos da história da humanidade têm mostrado que as sociedades costumam dar diferentes significados às suas práticas sexuais, entre elas a contracepção.

Nas culturas greco-romana, na Antiguidade Clássica, existia meios de evitar a gravidez, portanto, métodos anticoncepcionais. Em Roma, muitas mulheres chegavam a ter aversão ao sexo, uma vez que uma das técnicas consistia em ingerir "misturas com esterco de rato, de lesma e de pombo com carrapatos de touros selvagens". Havia também a "utilização de duchas para a lavagem após o coito ou cheirar pimenta para provocar espirros sucessivos e também determinadas posições", pois se acreditava que estas práticas "facilitavam a expulsão dos espermatozóides, evitando assim a fecundação. Tal qual entre os gregos, na antiga Roma, também se conhecia a eficácia do azeite de oliva e de cedro, além, é claro, do coito anal, muito praticado pelas cortesãs"[57].

Natro (um composto de carbonato hidratado de sódio), misturado com excremento de crocodilo, é descrito em um papiro ginecológico egípcio, de cerca de 1900 a.C., com supostas propriedades anticoncepcionais, atuando como espermicida. Em alguns casos, utilizava-se a goma arábica com o mesmo objetivo. "Inserir meio limão na vagina era um dispositivo contraceptivo popular na Roma antiga"[58], uma fruta muito comum na Grécia do século V, a.C.

Outro "método anticoncepcional", o "navio com carga" era o termo antigo utilizado para definir as relações sexuais durante a gravidez. Através da história, a despeito das proibições morais (em certas sociedades, algumas vezes legais), muitas esposas e seus amantes usavam-se dessa prática para evitar uma gravidez indesejada e embaraçada. Na "Roma Antiga, Agrippa (filha do Imperador Augusto e esposa do Imperador Tibério), gabava-se de, apesar de seus incontáveis amantes, todos os seus 5 filhos terem sido gerados por seu marido. Dizia, 'porque somente como um navio com carga é que eu transporto um passageiro' (*nunquam enim nisi navi plena tollo vectorem*)"[59].

Hoje, técnicas mais modernas são utilizadas para anticoncepção, onde, destacam-se, além da pílula: o **D.I.U.** – Dispositivo Intra-Uterino – é um objeto, geralmente, na forma de um "T", colocado por ginecologista no útero. Impede que os espermatozóides ultrapassem o útero e migrem pelas trompas de falópio, até encontrar o óvulo para uma suposta fecundação; o **Diafragma** – é um artefato de borracha que lembra uma bola cortada ao meio, introduzido pelo canal vaginal e alojado na entrada do útero (no colo ou cérvix uterina). Funciona como uma barreira aos espermatozóides e deve ser aplicado com pomada espermicida; a **Laqueadura** ou ligadura de trompas – cirurgia, com técnicas distintas, promove uma obstrução nas trompas de falópio a fim de evitar o encontro dos espermatozóides com o óvulo.

É importante não esquecer de lembrar nos trabalhos de Educação Sexual que estes são métodos que evitam a gravidez mas não impedem que a mulher contraia, ou transmita, uma DST. Portanto, a pílula, o D.I.U., o diafragma e a laqueadura devem ser utilizados com outro método combinado, como por exemplo, o parceiro prevenir-se com o uso da camisinha. É uma atitude mais responsável e segura.

Pouco se sabe sobre a contracepção masculina ao longo da história da humanidade. Segundo Dioscórides (médico do século I), "os homens poderiam se tornar inférteis se bebessem um preparado da planta denominada periklymenon durante 37 dias" [60]. Embora não se tenha certeza quanto a real identidade dessa planta, acredita-se que seja madressilva, uma vez que o botânico Lineu (Carl von Linné, 1707 – 1778), no século XVIII, denominou-a de *Lonicera periclymenum*.

Encontrei um exemplo curioso de preocupação masculina com a contracepção numa cultura ocidental: os saxões, povos germânicos que se estabeleceram na Inglaterra no século V, apresentavam preferência por um método para evitar a gravidez não desejada: "conhecido como coito saxônico, consistia na pressão que o homem fazia na base de seu pênis imediatamente antes do orgasmo, de modo a provocar o refluxo de sêmen para dentro da bexiga"[61].

O procedimento acima tem fundamento nas práticas sexuais orientais, como o observado na Índia, onde há uma técnica de *coitus reservatus*, denominada de *karezza*. Nela, "os homens aprendem a conter a ejaculação por meio do controle da respiração, meditação, postura e pressão dos dedos. A *karezza* é praticada não apenas como meio de controle da natalidade; seus adeptos também alegam que, ao se aproximarem repetidas vezes da ejaculação sem completá-la, conseguem aumentar o prazer sexual e sentem o equivalente a muitos orgasmos"[62].

Hoje, das técnicas de anticoncepção destinadas ao uso masculino, destacam-se: **a camisinha,** ou cóndon, ou preservativo, ou camisinha-de-vênus – objetiva reter o sêmen no ato da ejaculação e evitar o contato e a troca de fluídos sexuais e sanguíneos durante o ato sexual. Trata-se do único método capaz de evitar a gravidez e a transmissão de DST, sendo, portanto, de fundamental discussão nos trabalhos de Educação Sexual; **a vasectomia** – cirurgia de obstrução dos canais deferentes (que conduzem os espermatozóides produzidos nos testículos ao pênis, numa ejaculação). O homem ejacula normalmente, contudo, seu esperma passa a não conter gametas. Esses, com o passar do tempo, serão reabsorvidos pelo organismo; **a pílula masculina e a injeção hormonal** – consistem em dosagens de hormônios que impedem a produção de gametas (espermatozóides); ainda em fases de experimentação científica.

Nos trabalhos de Educação Sexual, deve-se lembrar que a vasectomia e a pílula/injeção podem evitar a gravidez, mas não impedem a contração de uma DST. Portanto devem ser utilizados como um método combinado a outro, como por exemplo, o parceiro prevenir-se com o uso do preservativo masculino ou a parceira com a camisinha feminina.

O uso da camisinha masculina, que já é um consenso internacional, apresenta algumas particularidades como no Japão, onde "é comum a venda deste preservativo a domicílio, conduzidas por vendedoras que representam a Associação

Japonesa de Planejamento Familiar. As camisinhas são vendidas em diferentes embalagens, desenhadas para atrair o gosto feminino, pois a comercialização é feita geralmente de mulher para mulher"[63].

Além das discussões sobre técnicas anticoncepcionais (onde prevalece a abordagem biológica) penso que a Educação Sexual pode proporcionar uma problematização dos diversos significados conferidos à anticoncepção, à luz de uma análise política e histórica, bem como, numa abordagem de gênero, visando discutir as representações de "mulher" e de "feminino" nesse contexto.

As últimas duas décadas do século XX intensificaram as discussões acerca dos direitos humanos, especialmente daqueles grupos sociais historicamente marginalizados e excluídos pela hegemonia masculina, branca e heterossexual. Se a Revolução Francesa, no século XVI, desafiou o Estado a garantir "liberdade", "fraternidade" e "igualdade" aos seus cidadãos, hoje, os direitos sociais, econômicos e culturais, têm sido uma exigência que impõem a busca pela cidadania real[64]. Temos acompanhado um significativo abalo na conservadora noção de mulher e feminino, associada, necessariamente, à concepção e à maternidade. Em lados opostos e conflitantes, o início do Terceiro Milênio nos obriga a redefinir o papel social da mulher e a amplitude de seu universo feminino, que passa, também, a ocupar o espaço público, especialmente, para aquelas mulheres que têm dedicado esforços à uma carreira profissional.

Na Educação Sexual é possível contemplar discussões que abordem, frente a frente, distintos, mas conflitantes aspectos. De um lado, os significados e as relações de poder envolvidos nas visões hegemônicas de casamento, de heterossexualidade, de maternidade, de família nuclear patriarcal e de monogamia; de outro lado, discutir e confrontar o bombardeamento negativo dirigido ao casamento tradicional, o estabelecimento dos novos modelos de relações afetivas (entre homens e mulheres, e entre mulheres e mulheres) a conquista do mercado de trabalho definindo "novas mulheres", o domínio das técnicas de inseminação artificial, a polêmica prática da "barriga de aluguel", as discussões sobre o aborto e a possibilidade de gerar filhos através da prática da "produção independente", a adoção de filhos...

Mulheres que ousam garantir sua independência financeira têm derrubado o mito estereotipado de que mulheres solteiras e/ou sem filhos são esquisitas, mal-amadas, insatisfeitas.

São várias as idéias que tradicionalmente têm reforçado o mito da maternidade como algo "natural", (como uma conseqüência certa da condição da mulher, especialmente a casada). Idéias como: os filhos são a continuidade dos pais, os pais se realizam nos atos dos filhos, os filhos ajudam a "segurar" o casamento, os filhos são uma segurança futura na velhice... Penso que a maternidade é mais uma de tantas escolhas feitas na vida. Uma escolha que, pela estrutura sócio-cultural envolta à sexualidade feminina, ainda está longe de ser feita com liberdade. No entanto, optar ou não em ter filhos ou definir a "hora certa" para tê-los pode e deve se constituir num direito da mulher, na definição de seu estilo de vida pela vivência real de seu livre-arbítrio a partir de uma relação de decisão igualitária estabelecida com seu parceiro ou parceira.

O método anticoncepcional, especialmente a pílula, na década de 1960, teve sua nobre missão de auxiliar no planejamento familiar, dentro de uma família tradicional que, desde o século XIX, era definida por uma pressão cultural que convertia as famílias ao grande número de filhos. Em contrapartida possibilitou o direito de escolha sobre seu próprio corpo, em relação à maternidade, e à "emancipação" sexual feminina para vivência do amor livre (preconizado desde o início das lutas feministas no século XIX), garantindo uma mulher mais independente, mais segura, com maior autonomia sobre seu corpo e seu prazer. "A contracepção efetiva significava mais que uma capacidade aumentada de se limitar a gravidez... marcou uma profunda transição na vida pessoal. Para as mulheres... a sexualidade tornou-se maleável, sujeita a ser assumida de diversas maneiras, e uma 'propriedade' potencial do indivíduo"[65].

É preciso também não esquecer que além da gravidez e da maternidade, uma das grandes preocupações atuais das mulheres são as DSTs, especialmente, a AIDS. Dados atuais mostram que no mundo cresce vertiginosamente os casos de contaminação de mulheres pelo HIV (principalmente heterossexuais e monogâmicas). Neste contexto, a educação Sexual pode discutir como as mulheres podem assumir uma postura de defesa de sua própria saúde. Um passo é superar a submissão de seu gênero e se impor diante do parceiro (que insiste em não usar a camisinha); se impor diante da sociedade machista (que insiste em fechar os olhos para essa condição feminina) evitando a problematização pública das disputas de poder existentes no cotidiano familiar. Da mesma forma, como mães e/ou educadoras, podemos desmitificar e transmitir informações a filhos (as)/alunos (as) acerca de posturas de prevenção à vida e igualdade sexual nas decisões presentes nos relacionamentos sexuais e afetivos.

Mito do uso da camisinha masculina

Por que algumas meninas ainda têm vergonha de levar a camisinha na bolsa?
( ) *por que elas pensam que ainda é cedo pra pensar em sexo?*
( ) *por que elas pensam que nunca vão precisar dela?*
( ) *por que elas têm medo do que a família vai dizer?*
( ) *por que elas pensam que quem sai com a camisinha só quer transar?*
( ) *por que elas não querem que os outros pensem que elas são promíscuas?*
Não deixe o preconceito ser uma barreira pra sua segurança. Se você não está preparada pra usar, você não está preparada pra transar!!!

MTV (01/12/97) – Dia Mundial de combate a proliferação do HIV e solidariedade aos doentes de AIDS)

Idéia que se constitui no mito:
o uso da camisinha diminui a sensibilidade e o prazer.

A camisinha masculina, que também pode ser chamada de cóndon, camisa-de-vênus ou preservativo, é o anticoncepcional de acesso mais facilitado e o mais conhecido. Sua popularidade atual foi favorecida pelas quase que "desesperadas" campanhas em virtude da AIDS, veiculada nos últimos anos na mídia (especialmente TV, *out doors* e revistas). "Desesperadas" sim ... porém, pouco eficientes. Conhecer a existência desse recurso é um aspecto...; usar por educação recebida e incorporada, é bem diferente. Vai aqui uma crítica à qualidade e eficácia das propagandas veiculadas, principalmente, na televisão e para isso não precisamos esforço algum. Basta lembrar das propagandas que tinham como protagonista o oculto "bráulio". Numa análise superficial, percebemos apenas sua vocação humorística em detrimento de sua real finalidade em conscientizar a população para assumir uma nova postura: do comportamento de risco para o sexo seguro (que neste caso, seria inclusive um "sexo protegido" pela camisinha, funcionando como um método de barreira).

A camisinha ainda encontra grande resistência por parte da população em geral. É comum ouvirmos as insustentadas expressões que o senso comum insiste em propagar: "é como tomar banho e não tirar a roupa", ou "é como chupar bala sem tirar o papel", ou "é como cozinhar o macarrão no pacote". A Educação Sexual é fundamental neste contexto pois pode auxiliar na busca por uma mudança de postura frente a questão que só se consegue através da informação e da discussão dos receios envolvidos nos significados culturais que impedem o uso do preservativo[66]. São essas idéias que constituem-se em alguns obstáculos no impedimento do uso, na sociedade como um todo, por parte dos homens (mais diretamente), mas também por parte das mulheres (em portar o preservativo e exigir de seus companheiros que o usem).

Sabe-se que apenas a informação não resolve. Não basta apenas saber que uma DST é real e que pode matar, por exemplo. É preciso lidar com outras representações e valores culturais a fim de superar a vergonha, a auto-suficiência ignorante, a idéia de que só com os outros acontece, comigo não. A sensação de vergonha, diante da (o) parceira (o) no momento de colocar a camisinha não deve ser o maior obstáculo ao uso e não deve superar a sensação de se estar cuidando da própria vida e da do outro, quer seja a relação heterossexual ou homossexual.

Dados da OMS – Organização Mundial da Saúde em 1997 revelavam que, nos países desenvolvidos, pelo uso, principalmente, da camisinha e pelas eficientes campanhas de prevenção, se estava conseguindo estacionar e até mesmo diminuir os novos casos de indivíduos contaminados pelo vírus da AIDS, a cada ano. Esta realidade se devia principalmente à cultura daqueles países onde as campanhas de prevenção, efetivamente, funcionavam, desde o surgimento da AIDS. Ao difundirem eficientemente os conhecimentos científicos e por já haver uma certa tradição científica naqueles países, os indivíduos mais facilmente mudavam seus hábitos e costumes.

Desde o surgimento do HIV, o quadro tem mudado. Inicialmente, nos primeiros anos, se verificou, em relação às comunidades homossexuais, que rapidamente responderam às campanhas de esclarecimento, que os casos de AIDS diminuíram. Observou-se uma mudança de comportamento nos indivíduos *gays,* desde o uso da camisinha até a diminuição de parceiros e a busca de relações estáveis. Este quadro não foi observado nos grupos de viciados em drogas injetáveis nem entre homens heterossexuais – dez anos após o vírus ter sido identificado, "segundo a OMS a freqüência da AIDS aumentou, de 1992 para 1993, duzentos e dez por cento (210%) entre os heterossexuais; cento e sessenta por cento (160%) entre os viciados de drogas injetáveis e, diminuiu sessenta e cinco por cento (65%) entre os homossexuais"[67].

Os primeiros casos de AIDS foram relatados por volta do ano de 1978, embora a comunidade científica tenha sido alertada no início da década de oitenta. "O primeiro paciente acometido pela AIDS fora examinado por alguns médicos parisienses entre 1978-1979"[68]. Talvez pareça exagero mas considerando a data provável de descoberta da AIDS, para não correr qualquer risco, o ideal seria conhecer a vida sexual de nossos parceiros, fixos ou eventuais, no mínimo, nos últimos dez anos. Isso é possível? Seja lá qual for a resposta, considere como melhor solução o uso do preservativo.

Segundo a ONU, em 1997, o total de pessoas infectadas pelo HIV chegou a 5 (cinco) milhões e 800 (oitocentos) mil; destes, quase um milhão são crianças. Diariamente 16.000 (dezesseis mil) pessoas se infectam pelo HIV; deste valor, 8.000 (oito) mil são jovens entre os 15 e os 24 anos de idade. Estima-se que no ano 2000 existam mais de 40 milhões de pessoas infectadas no mundo. A cada dia, 1000 (mil) novas crianças são infectadas. Atualmente mais de 9 (nove) milhões perderam suas mães por causa da AIDS. Este número tende a aumentar uma vez que o número de mulheres infectadas também vem se alastrando. Em 1997, o Ministério da Saúde divulgou que, no Brasil, o maior crescimento da AIDS foi observado nas mulheres, cujo perfil indica que são jovens, casadas, de baixa escolaridade e de pouco acesso ao sistema de saúde pública[69].

Nos trabalhos de Educação Sexual, as perguntas formuladas, referentes a este tema, podem ser do tipo: a camisinha altera o prazer sexual? Percebo sempre que há um desconhecimento generalizado no que diz respeito ao uso da camisinha, não apenas relacionado à utilização, mas também a sua importância. Por mais que os processos de Educação Sexual informal tenham transmitido informações quanto a importância de usá-la, prevalece o mito da alteração da sensibilidade e do prazer.

Além deste aspecto, há uma certa vergonha no fato de ter de colocar o preservativo diante de sua companheira que, associado à falta de consciência da sua importância, opta em não utilizá-la. Ainda prevalece também a idéia de que "comigo isso não acontece"; "AIDS?... só nos outros"; ou a temerosa resposta que reflete como a ignorância não deve ser subestimada: "AIDS é coisa de viado, eu sou macho, não pego". São mecanismos de auto-convencimento para justificar o não uso que precisam ser discutidos. Além disso, há aqueles que resistem a usar o preservativo por parecer estar tomando precauções, uma vez que "supostamente" teriam uma doença sexualmente transmissível. Essa situação levaria as/os companheiras/os a supor que "há algo errado", o que criaria uma situação de discriminação e constrangimento.

De um modo geral, adolescentes são inseguros e não sabem como colocá-la tomando os devidos cuidados para que não haja ar no seu interior, o que pode levar ao rompimento durante o ato sexual. No entanto, uma constatação importante foi perceber que, em relação ao procedimento de como retirá-la, o desconhecimento é total. Raramente se aborda este aspecto em discussões de Educação Sexual. Devemos, portanto, como educadores, ensinar a colocar e a retirar a camisinha.

Para auxiliar na maior conscientização na busca da superação dos mecanismos que levam as pessoas a resistirem ao uso da camisinha, considero importante observar as seguintes informações nos trabalhos de Educação Sexual:

1) a camisinha deve ser usada em todas as relações sexuais em que haja penetração (quer seja vaginal, anal ou oral), a fim de evitar uma possível contaminação do HIV (*Human Immunology Virus* – que causa a AIDS) e de outros agentes causadores das diversas

DSTs (Doenças Sexualmente Transmissíveis), além de evitar a gravidez (no caso de relação heterossexual com penetração vaginal).
2) a preferência deve ser por preservativos lubrificados (que facilitam a penetração), a base de água e nunca com produtos a base de óleos ou vaselina (que podem arrebentar o látex, por corrosão). Na prática do sexo oral o preservativo pode ser sem lubrificante.
3) a lubrificação pode ser favorecida com a utilização de produtos como cremes a base de água ou com a própria saliva. O importante é evitar relações traumáticas que possam romper o preservativo, se expor ao contato com os líquidos sexuais ou sangue ou causar qualquer tipo de desconforto aos parceiros.

Mito sobre a origem da ginecomastia

*Do grego gyné, aikós, 'mulher'; masthos, 'mama'. [...]
Note-se que a espécie humana revela uma exceção a quase todos os demais mamíferos, pois nela, o macho também possui glândulas mamárias. Isso só ocorre com os primatas.*

José Luís Soares, 1993, p.194.

Idéia que se constitui no mito:
que o desenvolvimento dos seios, nos rapazes, está associado com a primeira relação sexual ou com a masturbação.

Mito de origem biológica basicamente que reflete a falta de conhecimento sobre os fenômenos orgânicos da puberdade masculina. É possível interpretar que este desconhecimento foi sócio-culturalmente apropriado para atuar como um agente da disciplinamento sexual na sexualidade masculina. Me refiro as comuns associações do desenvolvimento das mamas, nos rapazes, com atividades sexuais consideradas tabus (como a masturbação e a primeira relação com parceira), que, principalmente, na puberdade e adolescência se iniciam e/ou se intensificam.

Nos trabalhos de Educação Sexual as perguntas formuladas, referentes a esse tema, são do tipo: a) Por que, em alguns rapazes, ao iniciar sua idade fértil, os seios crescem um pouco e sentem dor ao tocar no local?; b) Os meninos desenvolvem os mamilos após a relação sexual?

O trabalho de Educação Sexual pode considerar algumas reflexões: durante o período denominado de puberdade, que é diferenciado entre meninos e meninas, começam a ocorrer inúmeras transformações corporais (morfológicas e fisiológicas) em função do início da ação dos hormônios sexuais. Sob a ação hormonal inicia o aparecimento das características sexuais secundárias, entre eles, é comum a ginecomastia (desenvolvimento das mamas nos meninos). "Sete em cada dez rapazes passam pela experiência de ver seu peito crescer em graus variados"[70].

Portanto, a ginecomastia é o aumento dos seios, principalmente dos mamilos, com grande sensibilidade ao tato. É causada por um desequilíbrio entre o hormônio masculino testosterona e o hormônio feminino estrógeno (que nos homens há em doses mínimas). Como sua origem é basicamente hormonal, é preciso separá-la da relação com o primeiro ato sexual e com as atividades masturbatórias, uma vez que tal correlação pode estar associada, propositadamente, ao controle da sexualidade adolescente.

Mito do consumo do álcool sobre a atividade sexual

Os homens consomem mais álcool que as mulheres, que, por sua vez, tomam mais tranqüilizantes que os homens. O sexo masculino também supera o sexo feminino em uso de drogas pesadas, como a cocaína, heroína e mesmo maconha...

Içami Tiba (1994, p. 51)

Idéia que se constitui no mito:
que a ingestão de álcool favorece a performance sexual.

Desde que a humanidade descobriu o sexo (portanto desde a sua existência), vem buscando elixires, poções mágicas, bebidas, receitas com o poder de intensificar e também de prolongar o prazer sexual e superar os entraves emocionais, causados principalmente pela timidez, pela vergonha, pelo constrangimento e pela culpa.

São inúmeras as substâncias que visam conferir tal "estado de graça" sexual aos indivíduos, dos mais diversos tipos, que, supostamente, se acredita, possuam propriedades de estimular o desejo e a atividade sexual, ou seja, "excitantes dos apetites sexuais"[71]. Trata-se dos afrodisíacos que, sob o ponto de vista da ciência, sua comprovação é contestada. Provavelmente sua ação estimulante esteja relacionada ao componente da auto-sugestão, constituindo-se assim, num aspecto de ordem muito mais psicológica do que química. Entre os mais famosos estão o amendoim, os ovos de codorna e o álcool.

O álcool, que juntamente com o fumo é considerado droga social, constitui-se num potente depressor do Sistema Nervoso Central – SNC. Sendo também hepatotóxico a longo prazo, relaciona-se com a dificuldade do homem em alcançar a ereção, uma vez que as lesões no fígado impedem que a testosterona seja metabolizada. Neste sentido, a ingestão permanente de álcool pode levar à impotência masculina.

No que diz respeito ao comportamento geral do indivíduo, o álcool, além de agir como depressor no SNC, compromete a memória, a visão e a audição se enfraquecem rapidamente, os movimentos se tornam desajeitados, a habilidade motora se deteriora e, eventualmente, a fala e o andar ficam afetados. Com isso podemos concluir que, com a ingestão de álcool o desempenho sexual satisfatório será diretamente atingido, tanto em homens quanto em mulheres.

Contudo, convém lembrar que num primeiro momento, pequenas doses podem atuar como relaxante, excitante ou desinibidor, uma vez que o álcool também atua no cérebro liberando os mecanismos de censura e de controle, especialmente, em pessoas tímidas e inseguras. Talvez resida neste aspecto a idéia de que o álcool se comporta como estimulante sexual ou afrodisíaco. Todavia após passar este estado inicial (de euforia, liberdade, excitação e coragem aparentes), inevitáveis reações de sono e sensações depressivas podem surgir. Aí, o "feitiço pode virar contra o feiticeiro". Em se tratando de adolescência, onde o contato social se intensifica propositadamente na busca da identidade juvenil, o álcool, para muitos, passa a fazer parte e constituir-se num "aliado" da auto-afirmação no grupo.

Segundo a cultura oriental chinesa, é possível observar como a relação entre o álcool e a prática sexual pode constituir-se num tabu, repleto de mitos. No livro "Sete Males da União", praticar o sexo no estado de embriaguez, "o homem prejudica os pulmões. Isto, por sua vez, estraga o ar que respira e o faz ficar diabético. Quer esteja de bom humor ou aborrecido, melancólico ou violento, ele ficará com a boca seca e o corpo ardente ...". No livro "Como Proceder na Geração", na obra "Conselhos de Ouro Inigualável", quem deseja ter filhos deve "evitar a união quando um dos parceiros tenha bebido ou se empanturrado de comida. A confusão reina no estômago , e a urina fica turva. A criança, sem dúvida, sofreria de debilidade mental". No livro "Como curar as conseqüências dos erros na arte de amar", afirma a cultura chinesa, "se você praticar o ato sexual depois de ter bebido demais, seu corpo se cobrirá de pústulas amarelas e negras. Se fizer algum movimento terá uma sensação na parte inferior do ventre como se a bolsa dos testículos estivesse cheia de água. Pior dos casos, chega-se a cuspir sangue. Para curar este mal, você deve unir-se com uma mulher ao alvorecer e descontrair o corpo"[72].

Os trabalhos de Educação Sexual podem discutir, numa abordagem interdisciplinar, os problemas das ditas "drogas sociais" (álcool e cigarro), no desempenho sexual, na fase da conquista, durante a gravidez, etc. No entanto, discordo da estratégia de promover debates, palestras e cursos com o enfoque das comuns associações feitas entre "drogas e sexualidade". As drogas são prejudiciais ao indivíduo, são ruins à saúde e devem ser combatidas. A sexualidade, ao contrário, é algo positivo, importante para a realização e felicidade pessoal. Embora drogas e sexualidade tenham possíveis relações (por exemplo, a transmissão do HIV se dá pelos fluídos sexuais assim como pelo compartilhar de agulhas contaminadas no uso de drogas injetáveis), são, a meu ver, dois opostos sob o ponto de vista valorativo que representam para a espécie humana.

TABU E TABUS SEXUAIS

Palavra de origem do polinésio, *tabu* significa "sagrado","invulnerável". Num conceito mais abrangente é "proibição tradicional imposta por tradição ou costume a certos atos, modos de vestir, temas, palavras, etc, tidos como impuros, e que não pode ser violada, sob pena de reprovação e perseguição social"[73].

Se na noção de mito o que prevalece é o desconhecimento, a falta de informação ou a análise fantasiosa da realidade, no conceito de tabu passa a prevalecer o componente da discriminação e do preconceito para o conjunto de palavras, atitudes, práticas e valores morais que a sociedade não aceita, conferindo-lhe significados negativos.

Como TABUS SEXUAIS podemos considerar os "atos, palavras ou símbolos sexuais proibidos numa dada sociedade por motivos religiosos ou sociais" [74]. Nesta definição são aspectos de ordem moral os definidores dos tabus definidos numa dada coletividade.

Dentro do imaginário fantasioso humano, a existência de tabus sexuais pode ser vital à sexualidade de muitos indivíduos, especialmente, se considerarmos o potencial humano em transgredir as normas e os valores morais impostos que, para muitos, se constitui na mais excitante fantasia sexual. Os mecanismos transgressores individuais daquilo que está socialmente definido como proibido, pode ser fator de estímulo a uma sexualidade mais criativa, menos monótona e mais prazerosa.

É também pertinente lembrar que os tabus têm importante papel disciplinador na sociedade, fato este observado desde as tradições mais antigas do Velho Testamento, por exemplo, que descrevem como "a moral do povo hebreu estava mais relacionada com a transgressão do tabu do que às violações da justiça. Era condenado, portanto, desobedecer Iavé, idolatrar outro Deus, blasfemar"[75]. Esses eram os maiores tabus da época.

Tabu contra a iniciação sexual feminina antes do casamento

> *A repressão da sexualidade feminina resulta de uma organização social em que as mulheres são, de fato, possuídas, controladas e trocadas como presentes pelos homens, um sistema com um efeito profundo na configuração social das relações heterossexuais. Se o trafico de mulheres praticado pelos homens soa como um raro ritual nativo, sugiro que se lembrem do curioso costume no qual o pai conduz a noiva ao altar ...*
>
> Gayle Rubin apud Katz (1996, p. 140)

Um tabu de influência comportamental alicerçado por idéias como a do "mito da virgindade feminina" como sinônimo de virtude, e reforçado pelo "mito da diferença do prazer entre homens e mulheres". Este último afirma haver uma necessidade masculina de sexo antes do casamento "naturalmente" determinada. Ao mesmo tempo em que "retira" da mulher esta possibilidade, revela a hipócrita moral sexista na determinação de tratamentos desiguais para os sexos em relação a direitos e deveres sexuais.

Aqui cabe uma discussão à luz da Antropologia: os estudos de Margaret Mead, nas décadas de 1940-50 consagraram a expressão "papéis sexuais" para diferenciação das condutas masculina e feminina de determinada sociedade e cultura. Este conceito foi, marcadamente, determinado pela visão natural biológica, acentuando a explicação da "naturalidade" para a noção de homem e mulher. Em decorrência disto, passivamente foram legitimados e aceitos os mecanismos sociais instituídos que reforçavam a noção "natural" do feminino (a inferioridade, a subordinação, a sensibilidade, a heterossexualidade, a maternidade, o espaço privado do lar) e a noção "natural" do masculino (a superioridade, a força, o poder, a heterossexualidade, o espaço público).

A partir das décadas 1980, os estudos das relações de gênero surgem, estimulados pelo movimento feminista, e elaboram o conceito de "gênero" com o objetivo de desnaturalizar o conceito de papéis sexuais. "A grande contribuição que os estudos de gênero trazem é a utilização de um conceito, que vindo da gramática, revela as construções absolutamente sociais para as diferenças sexuais, e que estas são atualizadas nas relações entre homens e mulheres refletindo também as relações de poder"[76].

Reforçando essa perspectiva (de construção social), é de se esperar que culturas apresentem não só diferentes noções de masculino e feminino, como de casamento, família, reprodução e poder. O culto à crença de uma abstinência sexual feminina já foi usado para determinar o limite do poder masculino sobre a própria vida humana: na extinta "sociedade Inca, no império peruano, entre os seus costumes sexuais destacava-se a ênfase extrema à castidade antes do casamento; as meninas eram queimadas vivas se quebrassem seus votos"[77].

As noções sociais sobre casamento nem sempre foram as mesmas na história da humanidade. Essa compreensão é fundamental ao entendimento deste tabu. Historicamente a mulher tem sido "preservada" por meio da castidade. Essa idéia reflete as representações sociais frente ao casamento, frente aos níveis de poder instituídos entre os sexos e frente às instituições que cumprem o papel de garantir esta situação (sobretudo família, igreja e escola).

Para os gregos, por exemplo, o casamento "era uma condição de segurança para a velhice", uma vez que "era a forma de se ter os filhos, apesar dos aborrecimentos por que um homem necessitava passar para ter ao seu lado uma mulher". Da mulher exigia-se as seguintes qualidades: "castidade, sensatez, conhecimentos em costura, fiação e tecelagem, capacidade para administrar os empregados, ser contida quantos aos gastos afim de colaborar na conservação dos bens do marido e gerar filhos. Para isso, ela teria de ceder ao marido quando havia a intenção de ter herdeiros"[78].

Em Roma, por volta do século V a.C., para aqueles considerados cidadãos livres, o casamento poderia ser de três formas: *confarreatio* (união cerimoniosa e de difícil dissolução); *coemptio* (o homem pagava ao pai da noiva uma quantia em dinheiro e comprava sua mulher); *usus* (após um ano de convivência o casamento poderia ser considerado legal. A mulher passaria, então, a tornar-se propriedade da família do marido)[79].

Na Inglaterra do século X eram comuns casamentos experimentais de 07 anos, e na Escócia, antes da Reforma, casamentos de 1 ano. Tratava-se de um trato informal pelo qual o casal concordava em viver junto durante um período experimental a fim de testar seu relacionamento de modo mais profundo e mais abrangente do que seria possível durante o período de namoro. Tentavam, também, resolver quaisquer dificuldades encontradas e, portanto, reduzir a possibilidade de divórcio depois do casamento de fato e, geralmente, concordavam em não ter filhos durante este período[80].

Ao longo do desenvolvimento social humano, a sexualidade sempre foi extremamente versátil e culturalmente adaptativa. O conceito de práticas sexuais nem sempre apresentou, em algumas sociedades, correspondência lógica com as formas de casamento e com a noção de reprodução da sociedade ocidental atual. Alguns exemplos ilustram a idéia de que, em se tratando da humanidade, sexualidade (entendendo aqui vivências sexuais) e casamento, não apresentam o mesmo significado. Igualmente cambiantes são os valores sociais relacionados ao casamento: por exemplo, "entre os 'nuers' do Sudão, uma mulher pode desposar uma ou várias mulheres, através dos ritos habituais do casamento, pagando seu preço (em gado). Suas 'mulheres' serão daí fecundadas por um parente, um amigo ou um vizinho, mas ela (a mulher-marido) será considerada o 'pai' de seus filhos". Neste exemplo, o casamento em si não comporta a finalidade procriativa.

No Taiti, era comum que "apenas os filhos mais velhos fossem autorizados (e obrigados) a se casar para manter a linhagem; os caçulas estavam autorizados a praticar a mais completa licenciosidade sexual, sob a condição de que os filhos que nascessem dessas relações livres fossem mortos"[81], mostrando que, neste caso, o objetivo do casamento era garantir os descendentes. Uma vez que tal objetivo fosse alcançado, os demais membros da família (os jovens) poderiam praticar o sexo livre, sem a obrigação de institucionalizar esses relacionamentos.

Na Europa e na América, no século XIX e começo do século XX, entre os judeus ortodoxos, dois jovens só podiam se encontrar na presença de uma terceira pessoa (o casamenteiro), até o noivado. Hoje, casamentos arranjados são raridade nas sociedades ocidentais[82].

Em Kamchadal (sociedade caçadora da Sibéria Oriental), como em outras culturas dessa região, é permitido aos homens terem mais de uma esposa. Todavia a cerimônia de casamento é singular: para tornar o casamento legal, o noivo deve tocar na vulva nua de sua futura esposa. Isto nem sempre é fácil de conseguir pois, mesmo que os pais tenham dado a permissão para que ele se case com a moça, ele deve "capturá-la" primeiro. Para tanto, precisa lutar contra as mulheres da aldeia que tentam proteger a noiva e, ao mesmo tempo, rasgar as camadas de roupa que a noiva usa para maior proteção. Se ela deseja o marido, pode tornar tudo relativamente fácil; se não, tenta desencorajar o pretendente[83].

No Japão, ainda hoje, "as mulheres recebem educação para casar, cuidar dos filhos, tornarem-se esposas submissas e dedicadas. O casamento está programado tão logo a mulher deixe a faculdade, aos 24 anos, idade em que deixa de ser tratada como criança. Se entre os 24 e 28 anos a moça não casar-se espontaneamente, os pais o fazem, escolhendo, eles próprios, o marido. É o *Mi Ai*"[84].

Penso que a discussão deste tabu sugere a compreensão da condição social atual das mulheres que passa, necessariamente, pela problematização, à luz dos estudos feministas e das relações de gênero. A partir desses estudos é possível ampliar o olhar social e compreender melhor como as diferenças na sexualidade de homens e mulheres são construídas e hierarquizadas.

....

TABU CONTRA O ADULTÉRIO FEMININO

As mulheres não admitem mais a dominação sexual masculina, e ambos os sexos devem lidar com as implicações deste fenômeno. A vida pessoal tornou-se um projeto aberto, criando novas demandas e novas ansiedades.
Nossa existência interpessoal está sendo completamente transfigurada, envolvendo todos nós naquilo que chamei de 'experiências sociais do cotidiano', com as quais as mudanças sociais mais amplas nos obrigam a nos engajar.
Vamos proporcionar uma visão mais sociológica destas mudanças, que têm a ver com o casamento e com a família, mas também diretamente com a sexualidade.

Anthony Giddens (1993, p. 18)

Ao iniciar esta discussão gostaria de esclarecer que pretendo abordar não só o adultério, mas a característica de união matrimonial institucionalizada em nossa sociedade patriarcal (o casamento monogâmico), o conceito de família e a sua importância na constituição do Estado brasileiro, problematizando os significados sobre a sexualidade, especialmente a da mulher, presentes nos discursos jurídico e religioso[85].

Segundo o que prevê a doutrina do legislativo, a família (instituição ético-jurídica), é considerada a célula indispensável à sobrevivência da sociedade, estando sob proteção especial do Estado. A concepção do legislador sobre a importância da família como indispensável instrumento de controle social, é a mesma tal como concebida na civilização cristã ocidental: "É na organização familiar que o indivíduo nasce, cresce e se desenvolve, física e espiritualmente. Protegendo a família, está o legislador a proteger também a formação moral e intelectual do indivíduo que, adulto, contribuirá para o progresso e aperfeiçoamento da sociedade"[86].

O Código Civil de 2002, entre outros aspectos, irá reger, no Livro IV = Direito de Família, a regularização de quatro títulos: o Título I – Do Direito Pessoal fala sobre Casamento (capacidade, impedimentos, causas suspensivas, da celebração, da invalidade, da dissolução, da proteção dos filhos) e Relações de Parentesco (filiação, reconhecimento dos filhos, adoção, poder familiar); o Título II – Do Direito Patrimonial, que rege o regime de bens entre os cônjuges, o usufruto e a administração dos bens de filhos menores, os alimentos, o bem de família; o Título III que rege a União Estável e o Título IV, que aborda a Tutela e a Curatela. Um avanço em relação a legislação anterior se refere à posição da mulher que deixa de ser simples colaboradora e companheira do homem, passando a ter poder de decisão conjunta.

Durante muito tempo a legislação brasileira manteve, por meio de suas leis, uma evidente desigualdade no que se refere à posição de homens e mulheres em aspectos gerais da vida social, e em especial na posição dos cônjuges nas leis sobre casamento. Durante a elaboração da Constituição de 1988, o então chamado "*lobby* do batom" conseguiu com que a Carta Magna contemplasse a mulher cidadã brasileira em 28 dispositivos inovadores, entre eles o Artigo 3º que rege sobre o Princípio da Igualdade (origem, raça, sexo, cor e idade) e o Artigo 5º ("Homens e Mulheres são iguais em direitos e obrigações ..."). No entanto, alertou para a necessidade de revisão dos Códigos Civil e Penal, pois neles ainda havia evidencias de como o discurso jurídico contribuía para a construção de "verdades" sobre a sexualidade humana promovendo desigualdades entre os gêneros. Por exemplo, o Código Civil brasileiro de 1916 sobre o casamento (Artigos 178 e 219) afirmava que o marido tinha 10 dias, após as núpcias, para anular o contrato matrimonial, caso descobrisse que a esposa foi "deflorada". Considerava, ainda, a mulher casada incapaz (como os menores, os pródigos e os índios). Ao casar-se, a mulher era obrigada a adotar o sobrenome do marido. Somente a Lei do Divórcio, em 1977 permitiu à mulher conservar seu nome de solteira ("para evitar problemas futuros" ou "traumas para as crianças"). No Código Penal de 1940 é apresentado o conceito de "mulher honesta" como sendo aquela que pratica o sexo apenas depois de casada e somente na vigência do matrimônio. Portanto, sob o olhar da Lei e do discurso jurídico, a honestidade feminina decorria de um atributo físico e moral – a virgindade pré-nupcial.

  O novo Código Civil brasileiro (2002) prevê que a fidelidade recíproca é dever de ambos os cônjuges (Artigo 1.566), assim como a vida comum no domicílio conjugal, a mútua assistência, o sustento, a guarda e educação dos filhos e o respeito e consideração mútuos. O adultério de ambos, e não apenas da mulher, pode ser usado como justificativa à impossibilidade de manutenção do casamento (Artigo 1.573).

Podemos pensar que muitos princípios norteadores da elaboração de certas leis estão representados em inúmeros discursos convergentes, oriundos de diversos setores sócio-culturais. Neste sentido, é possível que as sociedades ocidentais, recentes e atuais, ainda tragam consigo vestígios de significados encontrados em culturas distantes, porém, historicamente importantes no pensamento ocidental. Por exemplo, na Grécia Antiga (período compreendido entre 900 a 146 a.C. – quando passa a ser província de Roma) o casamento era um contrato entre senhores (pais e maridos); era visto como um fim econômico e uma instância de legitimação dos herdeiros; as relações sexuais com a esposa eram um dever social; a mulher pertencia ao marido e estava proibida de ter outras relações sexuais; o marido era livre e senhor de suas vontades e comportamento sexual.

Destaco o antigo povo hebreu (sociedade originária da Mesopotâmia, da cidade de Ur, a 8.000 a.C. no Oriente Médio) como importante cultura na formação do discurso religioso atual. Eram pastores nômades polígamos. A mulher era considerada ser inferior ao homem; podia participar da religião, mas somente em obediência ao marido; a adúltera era apedrejada; a mulher, em sua casa, era semi-escravizada pelo marido, pelo pai ou senhor (passagens bíblicas reforçam este discurso religioso, como em Êxodo 20, 17; Gênesis 2, 18 e Gênesis 3, 18). O casamento não era ordem religiosa ou jurídica – tratava-se de um contrato familiar entre homens. A mulher era uma mercadoria que tinha certo valor; o preço de cada mulher, posteriormente, se transforma em dote. Depois que o homem/marido pagava o preço, a mulher passava a ser sua propriedade. O marido deveria sustentar a esposa. A finalidade do casamento era gerar filhos (uma benção de Deus e sinal de riqueza e abundância).

Em nossa sociedade atual, o casamento é monogâmico. Contudo, em outras culturas, a poligamia ou poliginia pode ser comum. A poliginia é a forma de casamento plural onde o homem, ao mesmo tempo, tem mais de uma esposa em situação considerada legal. Na poliginia geral, em comparação com a poliginia sororal, as co-esposas não têm ligação particular umas com as outras. Esta prática pode ser encontrada no mundo inteiro e geralmente indica posição social superior ou riqueza, mas pode estar associada a crenças religiosas – como é o caso dos mórmons (Igreja de Jesus Cristo dos Santos dos Últimos Dias). "Em regiões do mundo islâmico, o Corão é interpretado como se permitisse ao homem ter até 04 mulheres". No entanto o motivo para a permissão da poliginia pode estar relacionado com questões econômicas em relações com o trabalho: como entre os Cayapa, no Equador, onde "embora considerada pecado, é aceita porque as mulheres ajudam na colheita de banana"[87].

Atualmente, como é o casamento monogâmico o elemento que forma e legitima, a família, o Código Penal que se destina a disciplinar e punir o não cumprimento da lei apresentará, em seu Título IV, o conjunto de ações penais para garantir o mecanismo de proteção estatal à organização familiar. Dos Crimes contra o Casamento, mencionará a bigamia como crime.

Bigamia: Art. 235. Contrair alguém, sendo casado, novo casamento: Pena – reclusão, de 2 (dois) a 6 (seis) anos.
§ 1º. Aquele que, não sendo casado, contrai casamento com pessoa casada, conhecendo essa circunstância, é punido com reclusão ou detenção, de 1 (um) a 3 (três) anos [88].

Em relação aos Crimes Contra O Casamento, apresenta a figura do adultério:

> *Adultério: Art. 240. Cometer adultério: Pena — detenção, de 15 (quinze) dias a 6 (seis) meses; § 1º. Incorre na mesma pena o co-réu; § 2º. A ação penal somente pode ser intentada pelo cônjuge ofendido, e dentro de 1 (um) mês após o conhecimento do fato; § 3º. A ação penal não pode ser intentada: I - pelo cônjuge desquitado, (o termo 'desquite', em alguns casos, é substituído pelos termos 'separação consensual' ou 'separação judicial') II - pelo cônjuge que consentiu no adultério ou perdoou, expressa ou tacitamente; § 4º. O juiz pode deixar de aplicar a pena: I - se havia cessado a vida em comum dos cônjuges*[89].

O adultério, por meio de conduta homossexual do homem ou da mulher, não configura o delito. Isto porque o conceito hegemônico de casamento é aquele que prevê o relacionamento heterossexual, estendendo esta compreensão ao conceito de família, onde os envolvidos devem ser, necessariamente, de sexos diferentes – um homem e uma mulher.

Hoje tanto o homem quanto a mulher casada podem ser considerados ativos na prática do adultério, o que, em tempos antigos, não acontecia pois apenas a mulher é que "podia" praticá-lo. Por exemplo, "no início da Idade Média, o rei Harald Bluetooth, afogou em um pântano, sua esposa, a rainha Gunnhild, por ter-lhe sido infiel. Sua sentença foi aparentemente a penalidade padrão para adultério e às vezes, também era aplicada às vítimas de estupro e incesto. Essas execuções não exigiam processos judiciais e se davam extremamente rápido após a descoberta"[90].

Essa diferença, no consentimento e na tolerância social frente à conduta sexual da mulher, reflete uma histórica desigualdade de direitos humanos. E como instituição social, a Igreja tem concorrido com seu discurso para reforçar este tabu. A condenação do adultério pode ser observada em passagens bíblicas, como a que afirma que "não cometerás adultério [...] não cobiçarás a mulher do teu próximo [...]". Ou outra que afirma que "não terás coito com a mulher de teu próximo; contaminar-te-ias com ela", ou "se um homem cometer um adultério com uma mulher casada, com a mulher de seu próximo, o homem e a mulher adúltera serão punidos de morte". Há ainda a que afirma que "se um homem tomar a mulher de seu irmão, é uma impureza; ofendeu a honra de seu irmão: não terão filhos" [91]. Embora nas sagradas escrituras o adultério seja possível a ambos os sexos é destinado à mulher a maior carga de repressão e penitência.

> *O Senhor disse a Moisés: 'Dize aos israelitas o seguinte: Se uma mulher desviar-se de seu marido e lhe for infiel, dormindo com outro homem, e isto se passar às ocultas de seu marido [...]; o marido tomado de um espírito de ciúmes [...] conduzirá sua mulher à presença do sacerdote [...] que mandará a mulher aproximar-se do altar [...] que tomará suas mãos em oblação e lhe dirá [...], se nenhum homem dormiu contigo [...] não te façam mal essas águas que trazem maldição. Mas se tu te apartaste de teu marido [...] o Senhor te faça um objeto de maldição e de execração no meio de teu povo; faça emagrecer os teus flancos e inchar teu ventre [...][92].*

Também durante a Antiguidade, na sociedade romana, a partir do Imperador Augusto, no século I a.C., em se tratando de adultério "recaiu sobre as mulheres o rigor das penalidades. Caso o marido não se divorciasse da esposa adúltera, ele mesmo poderia ser processado. A mulher era banida, perdia o direito sobre a metade do dote e de um terço de todos os outros bens que possuísse. Seu amante, caso fosse casado, também era banido, mas ambos para lugares diferentes. E, se o amante da mulher casada fosse solteiro, era então livre de punições; o castigo neste caso era exclusivo da adúltera'"[93]. O mesmo rigor da lei em relação aos homens só foi adotado por volta do século IV d.C.. Temos aqui três séculos de desigualdades entre os gêneros.

Com o objetivo de assegurar a fidelidade da esposa surgiu no Antigo Egito uma prática que consistia na sutura dos grandes lábios da vulva para impedir a cópula com penetração vaginal e/ou inserção de um dispositivo metálico, como uma argola, para tornar o coito inviável. Esta prática é ainda encontrada, ocasionalmente, no leste da África[94].

A história da sexualidade humana nos mostra que, aos homens, o adultério tem sido perdoado, melhor compreendido e aceito, e talvez a crença no "mito da natural necessidade de sexo e variação sexual" tenha contribuído para isso. Estudos sobre a história do divórcio na Inglaterra afirmavam que "até muito recentemente, um único ato de adultério por parte de uma esposa era 'uma violação imperdoável da lei da propriedade e da idéia da descendência hereditária' e a descoberta punha em ação medidas altamente punitivas. O adultério por parte dos maridos, ao contrário, era amplamente 'encarado como uma fraqueza lamentável, mas compreensível'"[95].

Sem dúvida o tema do adultério sugere e obriga-nos à reflexão acerca da necessária igualdade social e sexual para homens e mulheres como uma busca vital à realização pessoal nos relacionamentos afetivos e sexuais, numa sociedade democrática. Uma busca que passa, necessariamente, pela contextualização social e pela profunda crítica das instituições jurídicas e religiosas que, através de leis e de normas morais, legitimam e perpetuam essa desigualdade.

Em algumas sociedades podemos encontrar forte repressão e punições para aqueles que praticam o adultério. Entre elas: "Bala, sociedade polígina no Zaire, costuma-se punir o adultério masculino". Entre os Zulu, "indivíduos de uma comunidade sul-africana, a poligamia é a regra geral, do tipo sororal, de preferência. Entre os seus costumes, destacam-se a punição do adultério, pela surra dos transgressores com galhos espinhosos, e em alguns casos, enfiando-se um cacto na vagina da mulher". "Na tribo indígena norte-americana dos Cheyennes, a curra (estupro cometido por um bando de homens que se revezam violando a vítima) é uma prática comum como punição pelo adultério" e, em "Zande, povo africano, radicado na região do Congo sudanês, que pune a mulher adúltera e seu amante pela morte, ou pela mutilação do amante – arrancando-lhe as orelhas, o lábio superior, as mãos e o pênis"[96].

Paradoxalmente, em outras culturas, há hábitos sociais peculiares, como a forma de hospitalidade, onde o homem compartilha sua esposa com um visitante. É o visto entre os esquimós onde a hospitalidade sexual e a troca de esposas é tida como uma forma de trocar de identidade e confundir os espíritos malignos durante uma situação adversa, como uma catástrofe ambiental, por exemplo.

Entre os habitantes de Koryak, uma sociedade de pescadores, caçadores e vaqueiros no nordeste da Ásia, a hospitalidade sexual também é comum. O hóspede poderá ficar irado se lhe for negado acesso à esposa do anfitrião, da mesma forma que o anfitrião poderá se sentir insultado se o hóspede rejeitar sua esposa ou filha, podendo até vingar-se.

Em outras culturas encontramos uma combinação entre a monogamia e a poligamia como é observado entre os Tupinambá (sociedade indígena brasileira), onde a forma predominante de casamento é a monogâmica, embora a poligamia seja permitida. Entre os Netsilik, um grupo de esquimós, "é permitido a poliginia (casamento de um homem com duas ou mais mulheres) e a poliandria (casamento de uma mulher com dois ou mais homens)"[97].

É mundialmente conhecido o padrão cultural de "casamento" dos povos do Oriente Médio. Naquelas sociedades é comum a constituição de haréns. Embora mais comuns nas sociedades islâmicas, tem-se notícia da existência de haréns nas sociedades siamesa, babilônica, peruana e indiana.

Este tabu revela as representações desiguais frente a sexualidade de mulheres e homens. Ele pode envolver questões como a qualidade dos relacionamentos sexuais e afetivos, ou seja, a qualidade dos relacionamentos e as insuportáveis e insuperáveis imposições familiares e sociais que levam homens e mulheres a não romperem com seus casamentos, preferindo assumir condutas adúlteras. Mais um paradoxal comportamento hipócrita da sociedade de hoje e de sempre que pode ser contextualizado e discutido na Educação Sexual.

TABU CONTRA O INCESTO

> *...a Antropologia, no início do século XX, tinha como questão explicar as universalidades e particularidades das culturas humanas. O conceito de cultura, como instaurador de nossa humanidade em relações às outras espécies, expressa esta tensão, pois tanto no início do século, como hoje, ainda não conseguimos 'desatar o nó' dos tênues limites entre o natural e o cultural no comportamento humano.*
>
> Gláucia de Oliveira Assis (1997, p. 55)

Incesto: palavra que deriva do termo latino *"incestus"* = impuro. Numa análise das práticas sexuais, o incesto refere-se às relações sexuais entre parentes consangüíneos (do latim *"consanguinitas"* = parentesco), ou seja, o que descende do mesmo tronco; o que apresenta pelo menos um ancestral em comum. Desta forma o incesto se evidenciaria nas junções carnais entre pai e filha, mãe com filho, irmão com irmã, primo com prima. Note-se que nesta definição as relações são necessariamente heterossexuais.

Este é um tabu que acompanha a humanidade há milênios, mesmo havendo algumas culturas que o permitam. Se considerarmos a história da humanidade a proibição desta prática esteve e está baseada em preconceito moral, medo de crenças diversas ou de base científica, e, especialmente, condenada pela religião judaico-cristã.

Apesar de proibido em praticamente todas as sociedades por meio de tabus ou mesmo de leis, o nível desta proibição pode diferir em algumas culturas, sendo o casamento entre irmãos socialmente reconhecido entre determinados povos. Exemplos notáveis encontram-se nas famílias reais no Antigo Egito, no Havaí e no Império Inca. Casamentos entre meio-irmãos e, ocasionalmente, entre irmãos ocorreram entre os antigos persas e gregos. Já entre os índios Aimarás (da América do Sul), e os balineses, é permitido o casamento entre um irmão e sua irmã gêmea. "Próximo à costa de Java, na Ilha de Bali, seus habitantes (os balineses), apresentam costumes sexuais que incluem o casamento entre gêmeos adultos, baseado na crença de que eles já foram íntimos dentro do útero materno. Curiosamente, há um tabu contra casamento entre aluno e professor, que, este sim, é considerado uma forma de incesto"[98].

Na sociedade Inca, no império peruano antigo "prevalecia a monogamia, exceto para a classe social mais alta. Entre os seus costumes sexuais, destacavam-se os casamentos de irmãos entre os membro da família real" [99].

Em algumas sociedades, o incesto institucionalizado pode estar relacionado aos rituais de iniciação sexual dos adolescentes. "Entre os Kubao, da América do Sul, exige-se que o garoto tenha relação sexual com sua mãe para marcar oficialmente o início de sua vida sexual. Na África, um noivo Watusi deve fazer o mesmo como cura para a impotência em sua noite de núpcias". Entre os Tucanos, tribo indígena brasileira, há a "exigência de que o menino tenha relações sexuais com sua mãe, na presença do pai, como parte do ritual de iniciação"[100].

Em outras culturas, numa situação similar ao incesto, a relação sexual com grau de parentesco, porém com consangüinidade ausente, pode estar associada aos princípios de responsabilidade e honra. Esta idéia é verificada entre os esquimós, onde é cultivada o simbolismo da "criação da semente", ou seja, o pai que tiver relações sexuais com uma nora menor de idade, cria qualquer criança que daí resulte.

Há culturas em que a idéia do incesto não se baseia na consangüinidade, mas sim, associada à outras idéias consideradas proibidas. Um exemplo é o tipo de tabu de relacionamento incestuoso denominado incesto de leite, baseado em compartilhar o mesmo leite. É verificado entre os mulçumanos, onde o casamento é proibido entre um homem e uma mulher que foram amamentados pela mesma mulher ou entre um homem e sua ama-de-leite.

O mesmo tabu de incesto tem sido verificado entre outros povos: os Mende da África Ocidental, os samaritanos, os Kops do Egito e os Koptas da Etiópia, os cristãos ortodoxos orientais e os católicos romanos italianos. Acredita-se que em todos estes povos a idéia comum para este tipo de incesto venha da influência muçulmana, caracterizando-se como um antigo traço do Oriente Próximo.

As idéias que condenam o ato do incesto podem variar: "os Yapese são os habitantes de uma grande ilha nas Carolinas. Entre seus costumes e crenças destacam-se a idéia de que o incesto é algo que os animais fazem, não os seres humanos, e de que a mulher que o cometeu não pode ter filhos"[101].

O incesto pode ser permitido, estando associado a uma situação de privação, como por exemplo, a ausência do sexo oposto, principalmente para o homem, para possibilitar uma nova geração. Essa é uma situação descrita na Bíblia, Gênesis (19: 30-38), onde

> *Lot partiu de Segor e veio estabelecer-se na montanha com suas duas filhas [...] A mais velha disse [...]: 'Nosso pai está velho, e não há homem algum na região com quem possamos unir, segundo o costume universal. Vem: embriaguemos nosso pai e durmamos com ele, para que possamos nos assegurar uma posteridade'. Elas fizeram, pois, o seu pai beber vinho naquela noite. Então a mais velha entrou e dormiu com ele; ele, porém, nada notou, nem quando ela se aproximou dele, nem quando se levantou. No dia seguinte, disse a sua irmã mais nova: 'Dormi ontem com meu pai, façamo-lo beber vinho ainda uma vez, esta noite, e dormirás com ele para nos assegurarmos uma posteridade'. Também naquela noite embriagaram seu pai, e a mais nova dormiu com ele, sem que ele o percebesse, nem quando ela se aproximou, nem quando se levantou. Assim, as duas filhas de Lot conceberam de seu pai[102].*

No entanto, no livro Levítico (18:6-11), ao descrever a santidade do casamento, afirma-se que "nenhum de vós se achegará àquela que lhe é próxima por sangue, para descobrir sua nudez [...] Não descobrirás a nudez de teu pai, nem de tua mãe [...] Nem a de tua irmã [...] não descobrirás a nudez da filha de teu filho ou da filha de tua filha [...]"[103].

Tais condutas incestuosas tinham penas severas segundo as escrituras sagradas: "se um homem dormir com a mulher de seu pai, descobrindo assim a nudez de seu pai, serão ambos punidos de morte; levarão a sua culpa" (Levítico 20: 11). Da mesma forma que "se um homem tomar por mulheres a filha e a mãe, cometeu um crime. Serão queimados no fogo, ele e elas, para que não haja tal crime no meio de vós" (Levítico 20: 14)[104].

Os estudos do comportamento psicossexual infantil têm associado a fantasia incestuosa como uma manifestação normal do desenvolvimento da criança. Seria uma tendência de meninos e meninas durante a chamada idade edipiana (3 a 7 anos), segundo Freud. Através de sonhos ou mesmo da imaginação, poderiam ver-se em atos sexuais com um de seus progenitores – necessariamente do sexo oposto. Neste mecanismo de sonhos e fantasias eróticas, geralmente, o incesto é inconsciente e se manifesta disfarçado por simbolismos de modo indireto e não explícito.

Ainda na concepção freudiana, há a idéia de que as relações familiares desencadeiam o que se denomina "romance neurótico em família" que pode ser compreendido em analogia com o complexo de Édipo, e passa, portato, a ser interpretado não apenas como a atração erótica do filho para com a mãe. "Ele está em todo o contexto familiar. O romance que se estabelece entre os vários membros de uma família pode ser traços eróticos de caráter incestuoso, em geral, inconsciente"[105]. A compreensão dessas relações familiares poderia se dar a partir do chamado complexo de

Electra, que seria a atração da filha para com o pai – um oposto do complexo de Édipo.

Outra forma de manifestação, segundo o discurso psicológico, que demonstrariam relações incestuosas inconscientes, seriam os sentimentos de amor e ódio entre irmãos, ou as preferências entre eles, da mesma forma que as antipatias ou as fixações do pai e da mãe para com alguns de seus filhos e filhas.

No entanto, devido a sua complexidade para compreendermos o incesto em nossa sociedade atual, necessitamos também de uma abordagem sociológica mais profunda. Embora esta prática sexual seja condenada e proibida em nossa cultura, tanto moral como institucionalmente, o incesto pode estar relacionado aos ambientes promíscuos, onde a pobreza, a fome, a completa miséria imperam, decorrentes de uma situação socio-econômica crônica. Passa, portanto, a ser comum em favelas onde grandes famílias compartilham uns poucos metros quadrados em casas de apenas um cômodo, dormindo próximos pais e filhos. Neste quadro, esta prática torna-se uma conseqüência inevitável, principalmente, porque observa-se total ausência de qualquer moral social que a impeça.

No Código Penal brasileiro o incesto não está previsto como crime autônomo. Pode aparecer como agravante de pena somente em determinados casos onde se evidencia relação próxima de parentesco entre os envolvidos.

No seu Título VI - Dos Crimes Contra os Costumes, discute-se a qualificação e a pena para situações que envolvem Crimes contra a Liberdade Sexual (Capítulo I), Crimes da Sedução e da Corrupção de Menores (Capítulo II), Crimes do Rapto (Capítulo III), Disposições Gerais (Capítulo IV), Crimes do Genocídio e do Tráfico de Mulheres (Capítulo V),

Crimes do Ultraje Público ao Pudor (Capítulo VI). É exatamente no item referente às Disposições Legais que é prevista a possibilidade de aumento da pena devido à associação com o incesto quando houver a presença de parentesco entre os envolvidos em qualquer um dos crimes previstos acima. Nesse caso, o Código Penal se pronuncia da seguinte forma;

> *Aumento da pena*
> *Art.226. A pena é aumentada de quarta parte:*
> *I - se o crime é cometido com o concurso de duas ou mais pessoas;*
> *II - se o agente é ascendente, pai adotivo, padrasto, irmão, tutor ou curador, preceptor ou empregador da vítima ou por qualquer outro título tem autoridade sobre ela;*
> *III - se o agente é casado.*[106]

O incesto é, sem dúvida, um tabu de extensão praticamente universal. Sua proibição é fortemente reforçada pelas instituições jurídicas e religiosas que utilizam-se de argumentos como a imoralidade e o pecado e/ou a possibilidade de originar descendentes anato-fisiologicamente mal-formados (o que é confirmado pelos estudos médicos em relacionamentos que objetivam a gravidez).

No entanto, penso que é possível refletir que nem todas as práticas sexuais e envolvimentos afetivos visam à reprodução. Se o argumento da má-formação de filhos é forte, é porque não consegue se desviar da idéia hegemônica de casamento e, conseqüentemente, de maternidade (nas relações heterossexuais). O que demonstra como nossa sexualidade é sempre condicionada ao olhar reprodutivo.

Sem dúvida, o incesto como proibição nos é ensinado tão eficientemente que nos condicionamos a não sentir sequer atração erótica por parentes próximos ou distantes. É um mecanismo subjetivo e incorporado, que só se sustenta na informação consciente. Ou seja, não nos sentimos atraídos e não despertamos qualquer atração sexual porque sabemos que não podemos, que é imoral, que não é permitido, que é ilegal. Podemos considerar que a repressão sexual é que se encarrega de impedir que sentimentos "impuros" e contrários ao que estabelece a moral social possam se instalar nos indivíduos e determinar-lhes sentimentos, desejos e condutas "inapropriadas" sexualmente, por parentes. Mas, é interessante o raciocínio de considerarmos que, se não houver qualquer conhecimento claro de parentesco, qualquer pessoa, desde que apresente as características correspondentes à nossa preferência sexual (beleza física e estética, temperamento, afinidades...), poderá ser objeto de atração e desejo. Refiro-me, aqui, aos relacionamentos adultos, caracterizados pelo consentimento mútuo.

É intrigante perceber que a proibição social do incesto esteja muito mais relacionada às questões de imposição e normatização moral do que, propriamente, se caracterize por um comportamento sexual humano "natural".

....

TABU CONTRA O SEXO
NA 3ª IDADE [107]

Muito mais do que a chamada liberação sexual dos anos 70, é a necessidade de se redefinir as finalidades da sexualidade humana, para retirá-la da servidão biológica

> *que lhe foi imposta por séculos e séculos de confinamento cultural ... em virtude dos estereótipos sociais, muitos velhos morrem antes de morrer ... além do 'stress somático', resultante natural do processo de envelhecimento, o idoso é submetido também ao 'stress cultural', em virtude da deificação que a sociedade empresta à juventude.*
>
> Ricardo Cavalcanti (1990, p. 45)

Nossa cultura valoriza demais a juventude. É possível conjeturar a compreensão deste quadro se considerarmos que na economia capitalista o potencial consumista reside nesta camada da população. Na mídia, propagandas, desde aquelas que vendem uma pasta de dentes até um lindo apartamento de cobertura ou um carro importado, pedem o apelo do jovem e o culto de sua imagem que deve ser sem rugas, sem cabelos brancos, sem barriga, etc.

Mesmo que o quadro seja de discriminação frente às atividades sexuais após a idade adulta, mais precisamente durante a terceira idade, há sociedades em que há visões diferentes: em Abcásia, região do Cáucaso, vive um povo que se destaca por sua extraordinária longevidade e vigor sexual na velhice. Segundo eles, "as relações sexuais regulares deveriam iniciar-se tardiamente na vida adulta, e a abstinência durante a juventude seria a principal responsável pela manutenção do interesse a da potência sexuais além dos 100 anos de idade"[108].

Entretanto, neste tabu também encontramos nítidas diferenças em relação aos sexos, uma diferença que existe desde os primórdios da civilização e será discutido a seguir, por ser mais evidente em relação à mulher.

Tabu contra a prática sexual feminina após o climatério[109]

"Nos anos 70, numerosas feministas elogiaram a solidão ... pediam o direito de possuir 'um quarto todo seu', 'uma cama toda sua', um lugar onde viver livre, para e por si mesma. Esta reivindicação acompanhava-se de uma crítica feroz do casal, concebido como uma ilusão destinada a impelir os indivíduos a se destruírem mutuamente, fundando-se um no outro, o que não fariam se não fosse em nome de uma religião, de um ideal".

Elisabeth Badinter (1986, p. 277)

Chamo de "cultura da terceira idade" a discriminação refletida na desigualdade de tratamento observada entre os sexos, não apenas pelo fator geracional, mas sobretudo pelo fator de gênero: no homem, rugas podem significar "maturidade" e cabelos brancos sinal de "charme"; a mulher sofre em sua própria casa – é comum filhos/as adolescentes chamando a mãe de "velha" diante do primeiro fio de cabelo branco que surge.

Sem dúvida, as mudanças nos hormônios durante o climatério provocam grandes alterações fisiológicas na mulher, principalmente, nos aspectos mais valorizados pela vaidade feminina (rosto e silhueta). As modificações da pele também ocorrem nos homens por uma desidratação natural inerente ao ciclo de vida humana. Sendo assim, por que cabe à mulher o peso maior da discriminação?

Se considerarmos que nas espécies animais, que têm na reprodução o grande objetivo vital, as fêmeas, à medida em que perdem seu poder procriativo, não conseguem acasalar e são gradativamente selecionadas. No mundo animal, podemos considerar que a importância da fêmea se dá pelo desenvolvimento do seu "papel de mãe". Mas esta idéia não deveria permear a espécie humana, pois sabemos que para nós o sexo não está apenas relacionado com a reprodução, mas, sobretudo, com o prazer, assim como o valor da mulher não se mede pela sua atividade maternal.

A idéia de que os homens apresentam "virilidade eterna" (melhor dizendo, fertilidade), é de certa forma correta. Mesmo diminuindo a ação hormonal com reflexos nas atividades de ereção, ejaculação e orgasmo, o homem, potencialmente, pode ter filhos até o final de sua existência. Essa é uma noção reforçada em nossa cultura com apoio do catolicismo. Na Bíblia, todos os "grandes homens" receberam a mensagem de Deus para crescer e se multiplicar. Todos tiveram seus filhos em idade avançada, casaram-se tarde e procriaram até o final de suas vidas: Adão (depois de originar Caim e Abel, com 130 anos gerou Set. Viveu mais 800 anos, teve mais filhos e filhas e, morreu com 930 anos); Noé (com 500 anos gerou Sem, Cam e Jafet. Após o dilúvio viveu mais 350 anos); Abraão (viveu 175 anos. Antes de morrer, tomou outra mulher, Cetura, com quem teve seis filhos – Zamrã, Jecsã, Madã, Madiã, Jesboc e Sué); Isaac (filho de Abraão, casou com 40 anos. Engravidou sua mulher quando tinha 70 anos de idade), entre outros.

Mesmo se considerarmos o seu simbolismo cronológico, a Bíblia, por este aspecto, se constitui num eficiente instrumento de apologia à reprodução e à virilidade masculina. Seus livros podem ser resumidos na história de homens que se sucedem, gerações após gerações, buscando mulheres para dar continuidade ao desejo divino: "Sêde fecundos, multiplicai-vos e enchei a terra" (Gênesis 9:1). Os casos de esterilidade só acometem as mulheres (Sarai, mulher de Abrão; Rebeca, mulher de Isaac). Em ambas as situações, Deus intercede na impossibilidade reprodutiva, fazendo-as conceber, numa demonstração enfática do poder masculino sobre o feminino.

No entanto, há sociedades onde a concepção frente ao papel da mulher, após a menopausa (última menstruação), difere da nossa noção hegemônica. É o caso da comunidade Oneida, onde talvez, pela impossibilidade de engravidar e pela maturidade sexual supostamente alcançada com a idade, as mulheres pós-menopausa auxiliam na iniciação sexual de adolescentes. Esta cultura, localizada no noroeste do Estado de Nova Iorque – EUA, no século XIX, tornou-se famosa sobretudo por suas atitudes sexuais liberais durante um período caracterizado pelo conservadorismo vitoriano. "As mulheres que já tinham passado da menopausa, eram voluntárias para ajudar os jovens no aprendizado sexual"[110].

Me parece que a visão que temos sobre o exercício da sexualidade após os 45-50 anos é fruto do que aprendemos a encarar como "natural". Temos uma sexualidade que pode e deve ser vivida até a nossa morte e temos uma cultura que se opõe a isso. A mesma cultura que cria esses tabus é a que pode revertê-los, possibilitando, assim, ampliar o tempo de satisfação e de vivências sexuais para todos os indivíduos em todas as idades. Penso que nossa sexualidade jamais termina; ela adaptativamente muda. Enquanto nossa pele, de qualquer parte do corpo, acusar no sentido do tato, no mais despretensioso toque, às mais desejadas sensações, ainda assim, poderemos viver uma sexualidade de prazer, satisfação pessoal e felicidade, independente da idade.

Tabu contra a prática de sexo com animais

Devemos interpretar, por variações do comportamento sexual, o comportamento que, da ótica e filosofia reprodutivista, não tem por objetivo a procriação... Em nossa cultura, o que não for 'papai-mamãe' serão variações do comportamento sexual.

Oswaldo Rodrigues Jr. (1991, p. 17)

A prática de sexo com animais, também denominada de zoofilia ou bestialidade, compreende a prática de relações eróticas com animais. Na literatura que descreve tais práticas, encontra-se menção a espécies como: cavalos, cães, burros, mulas, cabras, ovelhas, porcos, galinhas, vacas, patos.

Embora não aceita pelos valores morais da sociedade, esta prática sempre acompanhou a humanidade. Segundo registros da arte rupestre, datada de 3000 a.C. na região de Val Camonica (norte da Itália), observam-se inúmeras cenas de bestialidade, uma delas onde "um homem está penetrando o que aparentemente é um asno". Originária da região da Sibéria foram encontradas cenas de "homens copulando... com alces"[111].

Uma das razões para a prática do sexo com animais pode estar relacionada à privação de parceiros para o coito, o que é observado "entre os povos orientais, onde ainda hoje é freqüente esse costume. Os pastores consideram-no uma espécie de transferência, ou melhor, alívio. Dada a vida que levam, afastados da cidade, para fugirem da abstinência, encontram nos animais a sua 'válvula de escape'"[112].

Este caso, além de retratar a situação específica de camponeses, nos reporta ao meio rural brasileiro, onde a prática com animais pode não só estar ligada à privação sexual, mas significar o processo de iniciação sexual de muitos jovens, bem como constituir-se em tarefa (jogo ou brincadeira) de provação da virilidade entre jovens e homens adultos. Além disso, pode também estar relacionada a um mecanismo de erotização individual, ou seja, indivíduos que praticam sexo com animais por preferência, caracterizaria, para eles, uma possibilidade de variação das práticas sexuais humanas.

A mitologia grega contribuiu para estigmatizar esta prática sexual com a lenda do minotauro: Netuno, querendo presentear o rei Minos II, de Creta, ordenou que das profundezas do mar saísse um belo touro branco, para ser por ele sacrificado. Minos II, por considerar tal animal esplêndido em beleza, impediu seu sacrifício enviando outro em seu lugar. Ao saber, Netuno em sua ira, induziu Parsifae, rainha de Minos, a desenvolver um intensa paixão pelo touro. Dédalo, artista de Atenas, a pedido da rainha, construiu uma novilha de madeira, onde se escondeu Parsifae, sendo possuída pelo touro. A partir desta união, nasceu um monstro com cabeça de touro e corpo de homem: o minotauro, sendo isolado num palácio em forma de labirinto, construído pelo rei Minos, para evitar a vergonha que lhe acometeu. O minotauro alimentava-se apenas de carne humana, o que levou Atenas a ser condenada a pagar um tributo anual, onde 7 virgens e 7 moços deveriam ser oferecidos ao monstro. Um destes jovens, Teseu, procurando se defender, matou o minotauro, libertando Atenas da maldição.

Não só a mitologia grega menciona e condena a prática de sexo com animais, mas também encontramos menção nas escrituras da Bíblia. No Êxodo, livro que conta a libertação dos judeus, onde expõem-se as Leis Morais e Religiosas, afirma-se que "quem tiver coito com um animal, será morto (22:19)". O livro Levítico, que descreve a Santidade do Casamento, em relação ao homem afirma que "nem te deitarás com um animal para te contaminares com ele" (18:23)"; e no capítulo das Leis Penais, menciona que "se um homem tiver coito com um animal, será punido de morte, e matareis também o animal" (20:25). Em relação à mulher, afirma que "uma mulher não se prostituirá a um animal: isto é uma abominação (18:23)"... "Se uma mulher se aproximar de um animal para se prostituir com ele, será morta juntamente com o animal (20:16)"[113].

Em outras culturas religiosas percebemos como as punições podem ser tão severas quanto a pregada na Bíblia, como no código mulçumano (Zina) que determina as práticas sexuais definidas como atos sexuais proibidos, passivos de punição, onde se incluem a bestialidade, a prostituição, o sexo anal e o lesbianismo. A punição pela violação do código de Zina é a morte. Similaridade foi vista na "sociedade Inca, no império peruano antigo, onde destacava-se entre seus costumes sexuais, o enforcamento como punição para a bestialidade (relação sexual com Lhamas)"[114]. Na Bíblia, no livro Deuteronômio, quando descreve as bênçãos e maldições aos cristãos, afirma que; "maldito o que peca com um animal qualquer (27:21)"[115].

No entanto, na história da humanidade há sociedades onde a prática do sexo com animais é permitida. Trata-se de "Kajaba, uma sociedade da Colômbia, onde se verificam numerosos e incomuns costumes sexuais, entre eles, o contato sexual com animais, como prática generalizada"[116].

Segundo a legislação brasileira, a bestialidade (coito com animais), assim como outras práticas sexuais como a homossexualidade feminina e masculina, a prostituição e o incesto, não são puníveis por si mesmo. Somente quando tais condutas estiverem associadas a outros crimes, como atentado ao pudor, crimes envolvendo menores, assédio sexual, etc, elas serão utilizadas para agravamento da pena, ficando seus autores sujeitos a penalizações. De certa forma, "agravamento de pena" já confere a estas práticas um certo julgamento moral de discriminação.

No entanto, cabe ressaltar que homossexualidade, prostituição, incesto e sexo com animais, em comum, têm apenas o fato de serem práticas ligadas à sexualidade não hegemônica e, portanto, discriminadas socialmente como tabus. Como educadores e educadoras, é preciso reconhecer que cada uma, a seu modo, apresenta distinções que precisam ser diferenciadas. Considerá-las todas "farinha do mesmo saco" é um ato propositadamente autoritário, conservador, de clara intencionalidade à ideologia hegemônica, de procedimento intolerante, descontextualizado e injusto.

Tabu contra o sexo anal

A obscenidade existe e está bem diante de nossas caras. É o racismo, a discriminação sexual, o ódio, a ignorância, a miséria. Tem coisa mais obscena do que a guerra?

Madonna Louise Veronica Ciccone (1992, p. 09)

Entende-se por sexo anal a estimulação do ânus através de penetração com os dedos, pênis ou objetos eróticos (consolos ou vibradores) ou através do sexo oral (língua e lábios).

Muitas pessoas, mulheres ou homens, podem alcançar o orgasmo pelo estímulo das terminações nervosas da região anal. Estas terminações são ramificações dos nervos que emergem da coluna sacral, responsáveis pelas transmissões eróticas sensitivas. Trata-se do mesmo conjunto de estruturas sensitivas-neurais responsáveis pela enervação do pênis, do clitóris e de toda a região pudenda. Portanto, a parte externa do ânus é enervada por faixas do nervo pudendo, que também é o responsável pela enervação de parte dos genitais, tanto em homens como em mulheres. As fibras sensitivas e eróticas (região externa do ânus), aí existentes, quando estimuladas, podem ser extremamente prazerosas para muitas pessoas e inibitórias para outras. Já foram observadas contrações involuntárias do ânus, aproximadamente no mesmo índice da plataforma orgástica feminina e da uretra do pênis, a intervalos de 0,8 segundos.

Numa análise das práticas sexuais permitidas a partir do resgate da história da construção da sexualidade nas sociedades ocidentais, percebemos que sempre se valorizou atividades sexuais com objetivos procriativos, conseqüentemente, entre casais heterossexuais. Portanto, é de se esperar o preconceito a qualquer prática que não possibilite esse intento, entre elas, o sexo anal.

Contudo, há sociedades em que o sexo anal não só é permitido como é incentivado por questões que envolvem rituais de passagem da infância para a idade adulta. É o caso da sociedade de Keraki, na Nova Guiné, onde "os jovens devem participar de coito anal como parte dos ritos de puberdade, na crença de que não crescerão, a menos que tenham recebido o sêmen de homens mais velhos. Após os ritos de puberdade estão prontos para desempenhar papéis ativos, homo e heterossexuais"[117].

Como aspecto curioso onde a prática do sexo anal é comum, a imaginação humana, na busca por novos objetos de estimulação erótica e de prazer, pode dar vazão às mais diversas formas de expressão da criatividade na confecção de artefatos exóticos. É o que observou-se "entre os eunucos do Império Otomano, no Oriente, onde tornou-se popularmente conhecido um instrumento de masturbação anal, denominado violino anal. Um objeto feito de um ovo cozido duro, ou uma bola de madeira ou marfim, a que se prende uma corda de violino. O ovo, ou a bola, é introduzido no ânus, a corda é firmemente esticada e o parceiro usa um arco de violino para fazê-la vibrar. Hoje, equivalentes elétricos são também usados na Europa, EUA e no Japão"[118].

A sensação prazerosa com a prática do sexo anal (da mesma forma que em relação a outras práticas), constitui-se num fator eminentemente pessoal relacionado aos desejos e fantasias sexuais, não estando associada, necessariamente, à orientação sexual específica. Com isso, quero dizer que qualquer que seja o relacionamento (heterossexual – entre pessoas de sexo diferente; ou homossexual – pessoas do mesmo sexo), praticar e sentir prazer no sexo anal pode ou não ser uma prerrogativa.

Quando a sociedade associa rigidamente práticas sexuais tabus, restringindo-as a certa orientação sexual, ela acentua os estereótipos, reforça os mitos e legitima o preconceito a essas práticas. Além disso, pode também limitar as possibilidades de variação da sexualidade de cada pessoa, uma vez que, dentro das identidades sexuais, essas noções podem ser incorporadas e "aceitas" tacitamente como verdadeiras.

Em Educação Sexual, ao falar de sexo anal, qualquer que seja a orientação sexual dos indivíduos, deve-se discutir o uso de preservativo como forma de sexo protegido. Tal procedimento torna-se importante como medida de segurança à contaminação pelo HIV e as demais DSTs.

....

TABU CONTRA O SEXO ORAL

> *Nero manda torturar uma escrava da sua mulher, Octávia, para obrigá-la a confessar que a imperatriz era adúltera; a escrava resiste a todos os suplícios para salvar a honra da sua ama e responde ao guarda: 'A vagina de Octávia é mais limpa do que a tua boca!'.*
> *Imaginamos que ela queria dizer que nada está mais conspurcado do que a boca de um caluniador, mas não foi assim; ela pretendia sintetizar todo o aviltamento do mundo no gesto que o remata – a felação.*
>
> Paul Veyne (1991, p. 83)

O sexo oral corresponde a ampla utilização dos lábios, boca, língua e cavidade da garganta na estimulação e prazer sexuais. Entre as várias atividades do sexo oral incluem o beijar, lamber, morder, sugar e explorar com a língua os órgãos genitais e as zonas erógenas do(a) companheiro(a).

Entende-se por *cunnilingus* ou cunilíngua, a estimulação oral da vulva; por *fellatio* ou felação, a estimulação oral do pênis. A expressão "69" (posição sessenta e nove) corresponde a gíria para estimulação oral simultânea, entre parceiros, independente de suas orientações sexuais.

O sexo oral em nossa sociedade é mais convenientemente ignorado do que propriamente discriminado. Talvez este tabu seja a mais pura forma de demonstração de todo o receio e dificuldades em lidar com o sexo, com os desejos, com a erotização e com as diversas expressões da nossa sexualidade. Uma aversão que pode ter suas raízes num aprendizado construído sobre idéias judaico-cristãs de que o sexo é feio, sujo e repugnante.

Cabral (1995), na sua obra "A Sexualidade no Mundo Ocidental", ao descrever as práticas sexuais nas sociedades greco-romanas, afirma que a felação e a cunilíngua eram repudiadas e consideradas infames e vergonhosas. "Todavia este desprezo dados às práticas sexuais orais não é gratuito... as sociedades antigas eram falocráticas, isto é, governadas pelo elemento masculino. Nelas, a mulher era considerada um ser inferior e o prazer feminino era moralmente suspeito e sempre associado à prostituta... a masculinidade estava vinculada à virilidade; a lascívia era repudiada e não perdoada no homem" (p.112).

Outro aspecto importante da estrutura social que se reflete nas representações da sexualidade, refere-se ao fato de que a Antiguidade Clássica se caracteriza por época escravagista, onde ser servil era qualidade inferior do escravo. Na época, o significado social dado ao sexo oral o definia como aquele que conduziria a pessoa ao extremo rebaixamento pois, "sentir prazer em dar prazer a outrem é servil e degradante" (p.112).

No entanto, se, oficialmente, na Antiguidade Clássica, o sexo oral era discriminado, registros arqueológicos têm mostrado que na Roma Antiga os bordéis possuíam fichas de identificação que eram entregues às prostitutas de acordo com a intenção do cliente. Tratava-se de objetos semelhantes a

moedas, com imagens de diferentes práticas sexuais (no verso
– cara), com distintos valores numéricos (no reverso – coroa):
o sexo anal é apresentado com valor III; a felação, com valor
VIII e a relação vaginal por trás, com valor XIII[119].

É possível especular, a partir dessas fichas, a existência de uma remota forma de sexo profissional, institucionalizado, comparável a um rudimentar "comércio sexual". Um sistema facilitador e incentivador de um comércio internacional, uma vez que bastava a entrega da ficha à prostituta, que identificava, imediatamente, as preferências de seu cliente. Dispensava-se diálogos ou quaisquer outras preliminares que podiam ser dificultadas por erros na comunicação verbal de pessoas de diferentes origens, idiomas e/ou dialetos distintos. Este aspecto organizacional da prostituição romana mostra-nos não apenas uma faceta curiosa da história da sexualidade como assegura-nos que a diversidade de práticas sexuais sempre esteve presente na evolução cultural da humanidade.

Segundo Cardoso (1996, p.37), na Nova Guiné, os guebusi acreditam que o sêmen dos homens mais velhos deve ser ingerido pelos garotos na puberdade como fator fundamental ao crescimento (força vital) e ao desenvolvimento adulto. Através de sexo oral passivo (felação) os garotos obtem o esperma. Trata-se de um ritual de passagem da infância à fase adulta que acontece por volta dos 17 aos 25 anos até antes do casamento com uma mulher.

Na verdade, há práticas sexuais que não são feitas com qualquer pessoa. O sexo oral mostra que o que fazemos no sexo está diretamente ligado aos níveis de erotização, da fantasia sexual, do estímulo, do tesão e do desejo que podem mudar ao longo da vida e, principalmente, dependem da pessoa com quem estamos. Por isso, não é sempre ou com todo(a) parceiro(a) que se tem vontade de fazer isso ou aquilo no sexo. Da mesma forma que o que jamais pensávamos que poderia ser bom, pode passar a ser, e vice-versa. É bom refletirmos sobre a possibilidade de que temos uma sexualidade que está longe de ser estática, fixa ou acabada.

Na Educação Sexual, deve-se discutir que na prática do sexo oral pode haver a possibilidade de contaminação pelo HIV e DST. Portanto, o contato com o sêmen, sangue e/ou secreções vaginais deve ser evitado. Esta prática pode se tornar "de risco" caso a pessoa tenha feridas na boca, herpes, aftas, sapinho, cortes labiais, gengivites, dentes recém extraídos, cortes na língua. Nestes casos, a utilização da camisinha é recomendada como forma de sexo seguro.

Nos casos de cunilíngua (quer seja a relação hetero ou homossexual), recomenda-se o sexo oral com barreira de proteção na presença de problemas na boca ou durante o período menstrual. Toda a área genital deve ser coberta para impedir que qualquer secreção vaginal ou menstrual alcance a boca. No Brasil não está disponível a compra de um produto denominado *dental dam*, que consiste num quadrado de látex reutilizável após a devida higiene com sabão neutro. Em substituição, luvas cirúrgicas têm sido utilizadas, cortadas no sentido aberto. Panfletos educativos publicados por diversas ONGs têm sugerido a utilização de *cling film* (magipack, rolopack...). Esses produtos, na ausência de outro mais indicado, têm sido uma solução paliativa. No entanto, são questionáveis, uma vez que seus critérios de fabricação e concepção estão relacionados à preservação de alimentos e não, propriamente, à prevenção de DSTs[120].

TABU CONTRA O SEXO GRUPAL

> *A cultura, um produto da consciência e do livre arbítrio, compreende paradoxalmente sistemas sofisticados de proibição. Sociedades diferentes têm códigos diferentes de conduta sexual, mas em todas as sociedades os indivíduos cometem transgressões.*
>
> Timothy Taylor (1997, p. 09)

Nossa cultura, ao legitimar a monogamia e o casamento como instituições que garantirão o alicerce social da família, rejeita e discrimina todos os padrões de práticas sexuais que impossibilitem essa premissa básica, negando também que a possibilidade das fantasias sexuais e dos processos de erotização mental extrapolarem o nível do "puro casal".

Neste contexto, o sexo grupal socialmente costuma trazer consigo a idéia de promiscuidade. Uma correlação que, necessariamente, não é inerente ou exclusiva desta prática ou de qualquer outra. Basta lembrar que é hoje a promiscuidade, uma das principais responsáveis pela contaminação do HIV em mulheres monogâmicas e heterossexuais, por seus maridos. Portanto, a postura promíscua e irresponsável frente ao sexo, está também presente em relações heterossexuais (legitimadas pela sociedade, sem maiores problemas).

A questão maior é o preconceito contra esta prática, o que a torna um tabu sexual. Um preconceito acentuado numa sociedade que legitima a virtude, a castidade e a pureza (mesmo que hipocritamente), tornando difícil a aceitação harmoniosa de práticas que fogem do padrão convencional "papai e mamãe".

Na compreensão do sexo em grupo (na gíria = suruba) pode-se considerar a simples "troca de casais" (*swing*) até envolver várias pessoas relacionando-se sexualmente ao mesmo tempo, com variações que vão desde grupos só de heterossexuais, grupos só de homossexuais ou uma combinação de ambos, com voyeurismo, masturbação mútua, sexo anal e oral.

Esta é uma prática que só acontece com consentimento mútuo, por escolha individual. As pessoas escolhem o que é melhor pra si, dentro daquilo que acreditam, dentro daquilo que já experimentaram, dentro do conjunto de valores aprendidos no processo de educação e socialização e de acordo com os níveis de seu apelo erótico. Trata-se de uma variação de envolvimento sexual, baseado e alicercado na confiança mútua e na tranqüilidade, no compartilhamento e na entrega.

Embora essas práticas tenham diminuido sob a influência ocidental, alguns aborígenes australianos cultuavam, através de festivais eróticos, um espírito do sexo chamado Knaninja, e praticavam uma troca ritual de esposas que eles acreditavam ser "purificadora". Muitas culturas na Oceania realizavam festivais seguidos de orgias ritualísticas, cópula pública e expedições sexuais nas quais grupos de homens jovens (e algumas vezes grupos de mulheres jovens) saiam à procura de parceiros sexuais onde quer que podiam achá-los[121].

Os antigos gregos, durante as cerimônias em honra do deus Dionísio, costumavam organizar orgias. Essas orgias eram grandes festas caracterizadas pela ampla permissividade onde todos bebiam, cantavam, dançavam e tinham atividades sexuais desenfreadas. O termo remonta a um comportamento selvagem assumido pelos indivíduos da Grécia antiga que participavam dessas festas.

Para sexualidade buscamos uma sociedade menos coercitiva, menos repressora, menos castradora da felicidade de seus cidadãos. Este é um princípio fundamental da cidadania e dos direitos humanos que passa, necessariamente, pelo direito individual da escolha. Portanto, não cabe julgar aquilo que para cada um pode ter significado e valor diferente, lembrando sempre, que o sexo deve ser "seguro".

TABU CONTRA LOJAS ERÓTICAS (*SEX SHOP*)

" Seja qual for a cultura, seja qual for a etnia, seja qual for a época, sempre há regras que impõem o modus vivendi *em sociedade... a moral, não é então apenas uma lei dos costumes, mas sim uma imposição autoritária de rígidas formas de comportamento... Devidamente interiorizada, acaba sendo considerada 'uma coisa natural', a regra passa a ser 'o normal', e o proibido é instaurado para organizar as perversões. Tudo no seu devido lugar...".*

Eliane Moraes & Sandra Lapeiz (1985, p. 43 e 45)

Para as pessoas que freqüentam lojas eróticas (homens e mulheres) os interesses são diversos: há aqueles que buscam satisfazer a grande curiosidade; entram, olham, pedem explicações e vão embora; há aqueles que, sem o mínimo de constrangimento ou rodeios, compram artigos para uso próprio, com extrema naturalidade; há os que buscam a loja para

presentear amigos, através de brincadeiras em aniversários ou festas familiares (em casamentos, por exemplo). Dentre os artigos oferecidos, destacam-se:
- consolos e vibradores;
- pomadas para facilitar a ereção;
- roupas íntimas femininas (calcinhas, corpetes, sutiãs), algumas feitas de gelatina (comestíveis), que se desfazem; outras com fundo aberto;
- roupas íntimas masculinas (sungas);
- lubrificantes e óleos para facilitar a penetração em sexo vaginal e anal;
- afrodisíacos (na forma de perfumes, para ingestão oral);
- líquido para diminuir o diâmetro vaginal;
- fitas de vídeos eróticos de vários tipos;
- baralhos eróticos (só com homens, só com mulheres e com ambos);
- avental com pênis de espuma, para brincadeiras;
- bonecos infláveis, em tamanho natural (tanto mulheres como homens);
- modelos de vulva, vagina, e ânus, feitos de silicone;
- vários outros artigos que envolvem chaveiros articulados (com diferentes posições sexuais) e anéis eróticos;
- batons, canudinhos para refrigerantes ou coquetéis, bóia para piscina, chocolate, etc., (em diversos formatos de pênis).

Os objetos mais procurados e vendidos são os consolos e os vibradores, ambos geralmente em forma de pênis, com diâmetros variados (de 2 a 10 cm, ou mais) e feitos de diferentes materiais, como borracha, plástico, látex, esponja e silicone. Há consolos duplos, que permitem a penetração simultânea tanto do canal vaginal quanto do ânus. Há consolos específicos para o sexo anal cujo formato não sugere um pênis, mas acompanha a característica anatômica do reto e ânus. Principalmente os consolos e vibradores feitos de silicone (na sua maioria importados) são os mais fiéis ao órgão masculino, principalmente, no que se refere a sua textura, rugosidade e semelhança com o pênis.

A diferença básica entre o consolo e o vibrador é exatamente a capacidade de vibrar; este último, apresenta um mecanismo interno (à pilha), que quando acionado produz uma leve vibração. Os consolos podem ser adaptados à vibração, desde que acoplados a esse mecanismo. Há outros tipos de vibradores, na forma de pequenas bolas (3 cm de diâmetro), que podem ser utilizadas para estimulação vaginal, quando introduzidas neste canal.

O uso de artigos eróticos não passa, necessariamente, por uma condição de falta de parceiro(a) ou de solidão. Ao contrário do que se acredita, a maioria das pessoas que buscam os artigos eróticos têm como objetivo o uso em conjunto com seu parceiro(a). Uma das possibilidades do uso de vibradores dismitifica a idéia preconceituosa e a carga estereotipada àqueles que comumente os buscam. Trata-se de casais que, com grande resultado durante as preliminares da relação sexual, o vêem como uma possibilidade de levar a mulher a um estado de maior excitação. As pequenas vibrações, principalmente em contato com a vulva, com o clitóris e com a entrada do canal vaginal, proporcionam um estado generalizado de sensibilidade à mulher. Essa sensibilidade distribui-se por toda a região periférica do corpo, o que torna a mulher mais relaxada e disposta ao ato sexual, tornando a relação mais prazerosa para ambos.

O arqueólogo Taylor (1997, p.127), ao discutir os diversos bastões fálicos encontrados nos seus estudos sobre arte do Paleolítico Superior afirmou que "a inserção vaginal de objetos para prazer sexual tem sido observada entre os primatas nas selvas. É algo que provavelmente foi parte da nossa base evolutiva e cultural, apesar do fato de se considerar geralmente que as representações gráficas primitivas do uso de consolos sejam encontradas na cerâmica grega antiga dos séculos V e IV a.C.. Contudo pode haver um exemplo da Era Glacial".

Muitos dos artefatos encontrados em *sex shops* estão relacionados à vestimentas. A utilização desses objetos diversos demonstra como a roupa pode se caracterizar num sistema simbólico ligado às diversas formas de expressão da sexualidade, especialmente associada a dois aspectos distintos: primeiro, como forma de atração sexual determinando os comportamentos eróticos das pessoas; e segundo, como um instrumento de reforço da identidade de gênero, uma vez que a moda sexual define aquilo que é apropriado ao masculino e ao feminino, passando a influenciar o imaginário erótico individual a partir de uma incorporação coletiva de símbolos e representações próprios de cada gênero. Para Taylor (1997), o homem pré-histórico, a cerca de 1,6 milhão de anos, ao criar suas primeiras vestimentas, deu origem a idéias de gênero. "As roupas foram, desde o início, 'masculinas' ou 'femininas'. Assim, a capacidade de intercambiar roupas deu origem a um novo nível de consciência sexual – a noção de ambigüidade de gênero" (p. 06).

Neste contexto, a palavra fetiche surge no vocabulário sexual humano e adquire fundamental importância na compreensão das manifestações subjetivas (fantasias, erotização mental) da sexualidade. "Alfred Binet foi o primeiro a usar a palavra fetichismo... em seu ensaio *Le Fetichisme dans l'amour*, publicado em 1887"[122].

Compreendo o fetiche sexual como sendo o fascínio e encanto: 1. por *determinados objetos* (botas, jeans, saltos altos, calcinhas de seda, meias fina, cinta liga, sapatos, anágua, jaquetas de couro, macacões, óculos de grau, *bodypiercing*, tatuagens, sinais de nascença, capas de chuva, piteiras, cachimbos, botões de colarinho, algemas, espartilho...); 2. por *partes do corpo* (seios, pés, bunda, coxas, boca, lábios, pescoço, nuca, longos cabelos, mãos...), ou 3. por *situação fantasiosa específica*, freqüentemente combinada com certos trajes (uniformes militares, macacões sujos de mecânico, trajes de escoteiros, de colegiais, de enfermeiras, de professoras, de couro preto do tipo motoqueiro...).

Além da preferência erótica, os fetiches refletem diferentes graus do poder entre os gêneros. Artigos de couro (botas, selas, motoqueiros, *cowboys*), estão costumeiramente associados ao poder masculino, assim como fetiches relacionados a odaliscas, empregadas domésticas, professoras, enfermeiras, etc, refletem vestimentas de aparente submissão feminina[123].

Outras culturas nos mostram como a utilização de objetos pode estar associada ao imaginário sexual humano. Os três exemplos a seguir (das almofadas em chifre, das ampalangas e das perucas pubianas) ilustram essa idéia: inicialmente desenvolvida pelos chineses, mas também usada pelos hindus, a "almofada em chifre é uma almofada em forma de meia-lua, que é colocada sob as nádegas da mulher para facilitar a penetração profunda e a liberdade de movimentos durante o ato sexual. Em países ocidentais usa-se almofadas comuns com a mesma finalidade". Na Indonésia é comum o uso de "ampalanga (bolas de bambu ou metal), que são implantadas sob a parte mais superficial do pênis ou escroto para aumentar a estimulação do clitóris. No início da puberdade, bolas menores podem ser inseridas em aberturas artificiais ao longo do pênis, para serem substituídas, progressivamente, por bolas cada vez maiores".

A peruca pubiana, um modelo feito de cabelo e utilizada por mulheres sobre a área genital dos pêlos púbicos, "foi especialmente comum no século XVII, na Inglaterra, quando essas perucas estavam em moda[124].

Os artigos eróticos relacionados a vestes e roupas, na sua maioria, na lojas *sex shop*, ou são pretos ou vermelhos, confirmando a percepção popular de que estas cores estão fortemente relacionadas a uma representação erótica coletiva. Cabral (1995), ao discutir as influências das idéias do Novo Testamento sobre a cultura sexual do ocidente, sugeriu-me uma reflexão acerca das possíveis associações do preto e vermelho com a sexualidade. A autora mostra-nos que a ênfase dada ao maniqueísmo contribuiu para a concepção atual ocidental sobre a existência de Deus (o bem), contraposto pelo Diabo (o mal). Na Idade Média se difundiu a idéia de que "o mal-Diabo exerce várias funções, entre elas a de sedutor, mentiroso, falso, assassino, bruxo, causador da morte, bloqueador das mensagens de Deus, tentador dos desejos da carne e inimigo de todo o bem... O Diabo pode tanto manifestar-se na cor vermelha, como pode ser de cor preta" (p.49).

Penso que não seria de todo impossível supor que as representações do Diabo (da carne, do corpo, do mal) foram assimiladas e transferidas à sexualidade, associando e ligando ao sexo, ao desejo e àquilo que se apresenta como sedutor, cores como o vermelho e o preto, consagradas hoje, na "mundana" preferência popular. Se o sexo foi e é difundido pelo Cristianismo como o prazer carnal, profano, advindo do Diabo, por analogia, sua transgressão, consciente ou não, pode reforçar esta suposta associação de cores a um figurino, preto e vermelho, eroticamente fetichizado.

O simbolismo das cores é mais um reflexo da influência cultural na construção social da sexualidade. Embora na natureza não haja qualquer determinação "natural", nossa cultura convenciona tacitamente o branco à virgindade e à pureza; o verde à esperança e ao ciúme; o amarelo à riqueza e ao desespero; o vermelho à luxúria, ao quente do sangue e ao fogo da paixão, aos prazeres do vinho, "... associado à mulher pecaminosa e às chamas do inferno... é a cor da paixão, da raiva, do perigo e da revolução"[125]; o preto ao poder, à noite e aos seus mistérios, às trevas, ao satânico, ao luto, ao sedutor e ao perversamente erótico.

Convém refletir que o meio social, procurando ser coerente com seu objetivo de disciplinar a sexualidade, difunde a idéia de que o uso de artigos eróticos está, necessariamente, associado à pessoas perversas, depravadas e/ou imorais. Até mesmo a demonstração de curiosidade é escondida por muitos, que temem ser enquadradas no estereótipo da perversão. No entanto, esquecem-se os "inquisidores sexuais", que a natureza humana é potencialmente construtora de sua cultura e de suas mudanças nas vivências e práticas sexuais. O ser humano conseguiu, ao longo de sua evolução, libertar-se do sexo apenas com o objetivo procriativo e desenvolveu uma sexualidade que lhe permitiu descobrir e dar vazão às suas imaginações e fantasias eróticas. Não esquecendo também que a sociedade de consumo capitalista é suficientemente incentivadora de novos fetiches e ilusões eróticas que estimulam o imaginário e a vivência de uma sexualidade constantemente criativa e renovada.

Penso que é buscando satisfazer as fantasias sexuais, estimuladas pelo controle sexual, estimuladas pelo que é dito proibido e pela excitação provocada pelo ato de transgredir, que muitas pessoas aumentam seu prazer e sua satisfação sexual e afetiva com o uso dos mais diversos artigos eróticos. E, desde que o sexo seja seguro e que sejam respeitados os limites da liberdade e da vontade do outro, há algo de censurável nisso?

Mitos e Tabus Sexuais

Algumas práticas sexuais têm sido significadas em nossa sociedade e cultura como mito e tabu. Ao mesmo tempo em que recebem uma carga de informações estereotipadas e distorcidas da verdade, reúnem também forte preconceito e discriminação social.

A condição simultânea de mito-tabu pode ser exemplificada pelos Zulu, indivíduos de uma comunidade sul-africana, onde a poligamia é a regra geral. Entre os seus costumes destaca-se: a interdição das relações sexuais durante o dia, considerada um tabu social. Este tabu reside na crença (no mito) de que as pessoas que copulam durante o dia estão se comportando como cães. Outro tabu é evitar o sexo durante uma tempestade, depois de um sonho ruim ou depois que o marido tenha matado uma cobra grande, um crocodilo ou uma hiena[126].

Para a discussão que se segue, abordaremos aspectos ligados às construções sociais acerca da masturbação, da virgindade feminina, do sexo durante a menstruação, da homossexualidade e da bissexualidade.

MASTURBAÇÃO

*Você não sabe quanto falta que você me fez. E todo dia,
no banheiro, eu descascava uma, duas, ou três.
Você nem sabe quanta falta fez o meu amor.
E toda noite, no meu quarto, eu te achava em revista
pornô. Já tem gente pensando que eu sou egoísta. Já me
taxaram punheteiro, sem-vergonha, justiceiro e machista.
Mas a verdade é que você nunca fez falta nenhuma.*

Grupo Musical Os Ostra – música:
Uma, duas ou três (punheta), 1997

Do latim, *masturbare* = masturbar. A origem desta palavra pode ser derivada da expressão *manu stuprare*, que significaria "estuprar, violar a si próprio com a mão". Esta origem etiológica, demonstra uma conotação negativa (de violência) à esta vivência sexual, da mesma forma que historicamente os atos masturbatórios têm se constituído num violento tabu sexual. Provavelmente estes são os principais fatores que têm levado alguns(mas) estudiosos(as) a se oporem a este termo, preferindo denominar o ato de estimular o corpo e, principalmente, os genitais com as mãos, de auto-erotismo, auto-estimulação ou, ainda, de automanipulação.

Durante a infância, a automanipulação infantil é uma atividade de descoberta do corpo prevista no desenvolvimento psicossexual da criança. Alguns estudiosos da geriatria têm declarado ser a masturbação uma atividade comum também na terceira idade. Esta prática é extremamente importante para a evolução sexual do ser humano, não devendo, portanto, ser encarada com o preconceito repressor que vem sendo conferido a ela e, principalmente, às crianças e jovens que a praticam.

Historicamente, essa repressão alcançou aspectos alarmantes, como no século XIX, na sociedade européia, onde "a remoção cirúrgica do clitóris era usada para controlar a masturbação e a ninfomania"[127].

Se sua designação transitou da perversão à condição de desvio sexual, graças aos estudos da psicologia, psiquiatria e medicina, hoje, seu significado aponta para a diversidade: uma exploração prazerosa da sexualidade humana. Há culturas onde o auto-erotismo é visto como uma importante prática de auto-conhecimento, não sendo, portanto, um tabu, e sim, um institucionalizado ritual de iniciação sexual. Tal postura impera entre os Ila, povo do Zâmbia, onde "os meninos precisam se masturbar e imitar uma relação sexual, uns com os outros, como parte de seu treinamento de iniciação". Em outras culturas, as atividades masturbatórias também não são reprimidas. Ao contrário, são estimuladas como imprescindíveis ao ato de extravasar a energia sexual acumulada e retida. "Kajaba é uma sociedade da Colômbia onde se verificam numerosos e incomuns costumes sexuais, entre eles a preferência pela masturbação como forma de alívio sexual"[128].

Textos egípcios e sumérios apontam a masturbação como um ritual religioso, baseado na idéia do sêmen como fertilizante natural. "O dito piramidal 527, datado de cerca de 2600 a.C, afirma que 'Aton (deus sol) era criativo, pois começava a se masturbar em Heliópolis; colocou o pênis na mão para que obtivesse prazer da emissão e nasceram o irmão e a irmã – Shu e Tefnut'. Considerava-se que esta masturbação criativa ocorria na água, às vezes com a ajuda da deusa mão – Iusas. A ejaculação culminante formava o

Nilo, do qual toda a civilização dependia. As sacerdotisas dos templos de Karnak eram conhecidas como 'mãos de deus', pois facilitavam o espasmo anual divino. Da mesma forma, na literatura mesopotâmica, 'Enki ergueu-se cheio de desejo como um touro que ataca, levantou o pênis, ejaculou e encheu o Tigre com água corrente"[129].

Se há ainda alguma dúvida pairando sobre os malefícios da masturbação aos indivíduos, é preciso clarificar que a repressão social, as inverdades que a cercam (seus mitos) e o sentimento de culpa decorrente da prática reprimida, são os principais responsáveis pela angústia e a ansiedade em muitos adolescentes. A atividade masturbatória em si, não é prejudicial, quer seja para o rapaz ou para a garota, devendo ser vista como uma sadia expressão da nossa sexualidade prazerosa.

Primeira idéia que se constitui no mito:
acreditar que a masturbação causa males aos indivíduos como: a esterilidade, a impotência, crescimento de pêlos nas palmas das mãos, espinha no rosto e no corpo, ginecomastia, debilidade mental, verrugas, raquitismo, crescimento exagerado do pênis, diminuição do desejo sexual, ejaculação precoce.

Segunda idéia que se constitui no mito:
A concepção de que apenas os homens se masturbam, não sendo as atividades masturbatórias feitas pelas mulheres.

Terceira idéia que se constitui no mito:
quem muito se masturba não tem interesse em praticar sexo com parceiro(a).

Muito tem se dito em relação a esta prática sexual e é assim que penso que deva ser considerada: a) como uma importante manifestação da nossa sexualidade, pela busca do autoconhecimento e pela busca do prazer individual; b) como possibilidade de extravasar as tensões do ritmo da vida; c) como possibilidade de ampliação de práticas sexuais com companheiro(a), no compartilhar de intimidades e afetos e d) como tipo de sexo seguro.

Portanto, não se trata de doença, pecado, sem-vergonhice ou qualquer outra caracterização moralista de falta de pudor. A constatação do grau de regulação às atividades masturbatórias, heroicamente transmitidas de gerações a gerações, revela o quanto este mito constitui-se numa das mais eficientes formas de repressão da sexualidade humana, principalmente na infância e na adolescência.

Nos trabalhos de Educação Sexual, são muitas as perguntas formuladas, referentes a esse tema: a) O que é masturbação? Embora os adolescentes tenham muita dificuldade (por inibição) em formular, oralmente, um conceito, praticamente todos têm clareza do que significa masturbar-se. No presente trabalho, considero importante acrescentar na discussão os termos: automanipulação, "punheta", "siririca", "cinco contra um", discutindo, também, a importância desta prática como um tipo de sexo seguro.

Outro grupo de perguntas demonstra como a masturbação tem sido utilizada como objeto de disciplinamento sexual: b) Masturbar-se faz bem, mal, ou nenhum dos dois?; c) Masturbação provoca espinha, secura, magreza?; d) Masturbação excessiva pode trazer alguma conseqüência, tanto para o homem como para mulher?; e) Masturbação pode alterar a vida psicológica de um homem? Fica evidente o quanto este tema está rodeado de dúvidas e tabus, preconceitos e repressão. Além de discutir a masturbação sob a ótica da 'normalidade', costumo abordar aspectos relacionados a sua importância no sentido de permitir um real conhecimento do corpo e do próprio prazer. Os problemas de ordem emocional estão, muitas vezes, relacionados ao alto grau de repressão e de culpa que se sente na prática da masturbação ou na frustração pela ausência de um parceiro sexual. Trata-se de um sentimento de autopiedade, posterior ao ato masturbatório, em decorrência do "estar só". É preciso discutir que a "arte do encontro" pode ser apenas uma questão de tempo, mas que requer sorte na busca e afinidade entre os parceiros.

Normalmente, essas questões trazem, subliminarmente, a masturbação na condição de mito sexual associada a concepção de que "produz debilidade ou distúrbios mentais" e, "quem muito se masturba não tem interesse em relacionar-se sexualmente com um parceiro".

Outro tipo de pergunta que geralmente é formulada: f) Por que o homem sente vontade de se masturbar? O aspecto norteador da discussão pode girar em torno da importância do sexo para o ser humano (veja que estou me referindo à humanidade – homens e mulheres). Considerada como prática sexual comum, principalmente na infância (geralmente a partir dos 3-4 anos), na puberdade e adolescência, e na velhice, o auto-erotismo deve passar a ser visto como uma esperada manifestação da sexualidade, que pode se apresentar num maior grau de ocorrência, dependendo da faixa etária ou dos fatores sócio-culturais envolvidos.

Perguntas associadas ao ato de gozar e à ejaculação também são formuladas: g) Por que quando eu me masturbo eu não gozo?; h) Por que quando me masturbo não ejaculo?

Embora, em se tratando de pessoas adultas, possa haver a possibilidade de disfunção orgânica ou sérias questões de ordem emocional, é preciso lembrar que até mesmo durante a masturbação o componente da erotização mental, da fantasia sexual e do estímulo, são de fundamental importância para provocar a resposta sexual masculina (neste caso) e feminina, principalmente, a partir da puberdade. É preciso, neste tipo de questionamento, abordar com bom senso o período de desenvolvimento orgânico a que o adolescente está passando, para que ele entenda que os seus mecanismos de resposta sexual podem, ainda, estar em fase de amadurecimento e descoberta.

As próximas perguntas, além do componente especulatório, trazem consigo grande dose de mito e preconceito refletido da estereotipação do indivíduo que se masturba, com uma tácita pitada de repressão: i) O homem que se masturba muito não gosta de transar? Na problematização dessa questão, pode-se considerar que, de um modo geral, há uma preferência em se praticar o sexo com um(a) companheiro(a). Contudo, sabemos que não se trata apenas de uma questão de preferência e sim de oportunidade. Optar por masturbar-se pode independer da vontade, uma vez que a necessidade orgânica pelo sexo (o extravasar sexual) é uma realidade tanto para os homens como para as mulheres, podendo ocorrer, portanto, em qualquer época da vida.

Na questão j) Qual o problema que acontece se não houver a masturbação?, pode-se discutir a idéia de que muitas pessoas não se masturbam por não sentirem vontade, o que é perfeitamente normal. Contudo, deve-se também considerar que tal privação, quando relacionada ao constrangimento de ordem repressiva, pode levar a problemas de ordem emocional (como a culpa, a vergonha excessiva, o isolamento social, a baixa estima, por exemplo).

Aspectos relacionados às fantasias sexuais podem ser abordados: k) Por que ao se masturbar se pensa no parceiro do sexo oposto sentindo prazer, ou seja, isso dá mais prazer?; l) Por que ao se masturbar se pensa numa mulher bonita, atraente e o pênis ereto? São tipos de perguntas que demonstram o componente pessoal existente nos processos da resposta sexual associada às fantasias sexuais, às preferências individuais e aos graus de excitação. Para essa reflexão sugiro considerar que em relação ao homem, sua excitação erótica pode ser resultante de uma ampla variedade de estímulos. Sem dúvida, para muitos, a estimulação tátil, diretamente proporcionada nos órgãos sexuais (pênis e testículos), assim como o contato e a visualização de uma parceira nua, são, normalmente, as causa da excitação. "Entretanto, os estímulos visuais (por exemplo, observar outros em situações sexuais ou olhar desenhos eróticos), o estímulo tátil de partes não genitais do corpo e/ou sensações olfativas (perfumes ou odores sexuais) também podem causar a ereção num homem responsivo. Podem, ainda, ser altamente excitantes as situações de estímulos mais sutis; por exemplo, a voz sedutora e os modos de uma mulher atraente, fantasias eróticas ou um ambiente sedutor "[130].

É preciso também considerar que o auto-erotismo, hoje, tem sido discutido e apresentado como uma possibilidade de sexo seguro e, dependendo das preferências individuais, como uma estimulante variação de prática sexual entre casais.

Preocupações com o comportamento feminino e com a virgindade associada à masturbação, podem ser vistas nas questões a seguir: m) Uma mulher pode deixar de ser virgem se masturbando?; n) Como as mulheres se masturbam?

Penso que os próprios envolvidos na discussão podem ser incentivados a responder tais questionamentos, especialmente se esses assuntos já tenham sido discutidos (masturbação e virgindade). Um aspecto interessante na discussão coletiva refere-se ao conceito atribuído à virgindade que, segundo os pontos de vista, normalmente, diferem para o sexo masculino e feminino. Tenho observado em minhas pesquisas que não se considera a possibilidade do homem perder sua virgindade através da masturbação porque, para o homem, a única possibilidade de deixar de ser virgem é a partir do momento em que ele "transa", pratica um ato sexual que, convencionalmente, admite-se o sexo vaginal. Segundo o observado, não é considerada perda da virgindade masculina a prática do sexo anal ou do sexo oral (principalmente se o comportamento for passivo).

E no caso da mulher? A virgindade está associada ao ato sexual com penetração do pênis na vagina ou associada à perda do hímen? Não esquecendo que uma mulher pode manter relação sexual com penetração sem a perda do hímen; pode perder o hímen se masturbando (na penetração dos dedos ou na utilização de objetos); pode perder o hímen na prática de exercícios ou esportes como andar a cavalo, bicicleta, e mais raramente, na colocação de absorventes internos.

Entretanto, não penso que tal enfoque seja realmente relevante. Esta discussão, normalmente, não tem saída e acabamos conferindo excessivo valor à virgindade feminina. Penso que a(o) educadora(or) sexual deve se ater aos aspectos de ordem cultural, social, político e histórico que levam a uma valoração sexual/social diferenciada entre homens e mulheres, devendo aprofundar e priorizar a discussão sobre a igualdade nas escolhas e nos direitos sexuais.

Gostaria de concluir este tema (masturbação), discutindo a reação social frente a esta prática, que a tem definido como um tabu, sob forte olhar da repressão e da censura moral, como mais uma questão contraditória da nossa sexualidade. Sob o ponto de vista biológico, poderíamos analisar a manipulação, o ato de "pegar", como uma conquista da evolução humana, que tem se intensificado na nossa cultura como uma legítima expressão comportamental. Costumamos dizer que "para ver é preciso pegar na mão". Portanto, dentro da evolução da humanidade, manipular (cuja etimologia significa "controlar com as mãos"), "é um fato cultural de enorme significado. Este ato, que mostra uma maturação neurológica fundamental, possibilitou à humanidade alcançar um importante estágio do desenvolvimento evolutivo (o do *Homo habilis*), e trata-se de uma habilidade unicamente adquirida pela espécie humana, quando comparada aos demais primatas" (cf. VEIGA, 1992, p. 65).

Somos uma espécie, eminentemente, manipuladora e reprimir o auto-erotismo é negar uma das essenciais manifestações de nossa sexualidade. Entretanto, nossa cultura impõe-se, especialmente, à criança, lhe dizendo que há "coisas que não se pode mexer", "que é preciso tirar a mão dali", "que isso é feio e sujo"... Com isso estamos contrariando seu estado de independência, alcançado pelo desenvolvimento e maturação orgânicos, conferidos com a evolução biológica e com o estágio de desenvolvimento orgânico em que se encontra. Mais uma vez, a natureza curva-se aos valores morais inventados e construídos na cultura, na determinação de uma sexualidade controlada e reprimida. Esta é uma reflexão fundamental a qualquer educador(a) sexual.

A auto-estimulação infantil demonstra não só a grande curiosidade na observação e o processo de autoconhecimento sexual a partir dos próprios órgãos genitais, como nos diz que desde o nascimento nossa sexualidade se mostrará, dependendo da fase da vida, de distintas formas e maneiras na constante busca pelo prazer.

Virginda de feminina

> *Precisa cair urgentemente por terra a idéia de que a 'perda' da virgindade transforma a mulher num objeto de consumo que perdeu o seu valor, tendo que ser vendido de 'segunda mão'. A constatação de que o garoto ganha em consideração, ao ter uma relação sexual, enquanto a garota vira uma 'pecaminosa', representa um desafio a qualquer princípio de lógica.*
>
> Roberto Wüsthof (1994, p. 51)

A idéia que se constitui tabu refere-se à proibição social contra a defloração da mulher antes do casamento. Embora não seja uma condição universal, tal tabu apresenta grande alicerce nas sociedades ocidentais, reforçado pelo mito da virgindade como virtude. "Em algumas sociedades hindus, indonésias e sul-americanas, as meninas são submetidas à "defloração com o dedo", ainda na primeira infância. O emprego do termo defloração deve-se, originariamente, à idéia de que, com a ruptura do hímen, a mulher perde a "flor da virgindade". Em certas sociedades na África e, comumente, na Índia, há o ritual de defloração onde o hímen é rompido quando a mulher ou a garota se agacha sobre um linga ou pênis artificial, que representa, simbolicamente, o deus do sexo – Xiva"[131].

O tabu da virgindade foi e pode ser considerado como uma das mais terríveis formas de dominação da mulher. "Reduzir a mulher, sua pessoa e suas potencialidades a um 'selo' virginal não deixa de ser uma das formas que o machismo assumiu em nossa cultura" [132].

A grande influência da religião judaico-cristã sob os costumes e crenças considerando que o Brasil é o maior país católico do mundo, mostra que a origem e a manutenção das idéias sobre virgindade apresentam inseparáveis relações com os dogmas do cristianismo. A virgindade, mais precisamente a de Maria, mãe de Jesus, constitui-se "numa das verdades mais delicadas e basilares da teologia católica, isto porque alguns axiomas da moral ocidental, sobretudo na nossa sexualidade, dependem diretamente da manutenção deste dogma"[133].

Luis Mott (1988), em sua obra intitulada "O Sexo Proibido – Virgens, *Gays* e Escravos nas garras da inquisição", apresenta-nos uma discussão, em seu capítulo III, sobre um dos maiores e importantes dogmas da Igreja Católica: a virgindade de Maria. Na introdução do livro, ele afirma que "Maria foi virgem, antes, durante e depois do parto, é dogma fundamental do catolicismo, pedra angular sobre a qual se baseou e se mantém a moral sexual de nosso mundo patriarcal: a Virgem Maria é a inspiração e quem alimenta a cruel himenolatria dominante em nossa sociedade ao mesmo tempo machista e misógina" (p.15).

Portanto, a manutenção deste dogma pode ser vista como uma condição imprescindível para, não só manter instável a moral sexual no ocidente, como também para legitimar a violência e dominação machista, responsáveis pela coerção sobre os direitos da mulher no modelo de sociedade que vivemos – a patriarcal. Da mesma forma que, em matéria de comportamento, visa a reprimir toda e qualquer forma de vivência sexual que não conduza à procriação.

A idéia de que Cristo nasceu da virgem é reforçada pela Bíblia nos evangelhos de Mateus e Lucas. Em Mateus

(I: 26-38), há uma passagem que narra como Jesus Cristo nasceu: "Maria, sua mãe, estava desposada com José. Antes de coabitarem, aconteceu que ela concebeu por virtude do Espírito Santo. José, seu esposo, que era homem de bem, não querendo difamá-la, resolveu rejeitá-la secretamente. Enquanto assim pensava, eis que um anjo do Senhor lhe apareceu em sonhos e lhe disse: 'José, filho de Davi, não temas receber Maria por esposa, pois o que nela foi concebido vem do Espírito Santo. Ela dará à luz um filho a quem porás o nome de Jesus, porque ele salvará o seu povo de seus pecados'"[134].

Em Lucas (I: 30-38), é assim narrado: "no sexto mês, o anjo Gabriel foi enviado por Deus a uma cidade da Galiléia, chamada Nazaré, a uma virgem desposada com um homem que se chamava José, da casa de Davi; e o nome da virgem era Maria. Entrando, o anjo disse: 'Ave, cheia de graça, o Senhor é contigo.' Perturbou-se ela com estas palavras e pôs-se a pensar no que significaria semelhante saudação. O anjo disse-lhe: 'Não temas, Maria, pois encontraste graça diante de Deus. Eis que conceberás e darás à luz um filho, e lhe porás o nome de Jesus. [...] Maria perguntou ao anjo: 'Como se fará isso, pois não conheço homem?' Respondeu-lhe o anjo: 'O Espírito Santo descerá sobre ti, e a força do Altíssimo te envolverá com a sua sombra. [...] porque a Deus nenhuma coisa é impossível'"[135].

Maria é invocada sob dezenas de outros nomes e títulos, entre eles: Nossa Senhora do Amparo, da Assunção, da Boa Viagem, do Carmo, da Conceição, do Desterro, da Lapa, da Madre de Deus, dos Mares, de Nazaré, da Piedade, da Purificação... Mesmo que em países diferentes tenha uma denominação específica (em Portugal, Nossa Senhora de Fátima; na França, Nossa Senhora de Lourdes; no México, Nossa

Senhora de Guadalupe e, no Brasil, Nossa Senhora Aparecida), todas elas são a Virgem Maria.

Esse dogma, para a igreja católica, é algo tão importante que, mesmo após o nascimento de Jesus, após o parto, Maria não perdeu sua virgindade, permanecendo eternamente virgem. José também conservou sua virgindade para todo o sempre. O mesmo acontecendo com Jesus. "Reconhecendo que 'a dignidade virginal começou com a Mãe de Deus', temos de concluir que este mito está na gênese de todos os infortúnios da repressão sexual em nossa sociedade patriarcal, inclusive da dominação machista e conseqüente desigualdade dos sexos. Numa sociedade onde virgindade e castidade são sinônimos de excelsa virtude, obviamente sensualidade equivale a impureza e pecado"[136].

Idéia que se constitui no mito:
que a virgindade é um modelo de virtude, símbolo de pureza e prosperidade no matrimônio.

A virgindade apresenta-se tanto como um mito (conforme a idéia acima apresentada), como um tabu (principalmente em relação ao comportamento da mulher). Discuti, anteriormente, a contribuição do discurso religioso na construção da quase intocabilidade deste mito-tabu em nossa sociedade, sob influência do catolicismo e de seus dogmas, que foram e são fundamentais ao desenvolvimento de uma representação baseada em regras e interesses sobre a manutenção da virgindade feminina.

Como mito, a idéia básica está na crença de que ser virgem significa ser virtuosa, com qualidade moral, ter pureza da alma. A virtude seria uma condição apenas da mulher que fosse deflorada no casamento, o que conferiria à mulher todo o respeito. É uma idéia que tira a liberdade sexual feminina. Confere ao homem-marido todo o seu poder sobre a esposa; confere aos homens todo o seu poder sobre as mulheres; coloca o casamento como um incontestável destino na vida da mulher, uma conseqüência natural do "ser feminino". Aqui, a discussão avança pelo campo político pois mostra que as decisões frente a sexualidade feminina estão condicionadas ao poder masculino e cultural e precisam ser constantemente revista e em nossa sociedade, a fim de alcançarmos uma maior democracia e igualdade nos relacionamentos afetivos entre homens e mulheres.

Embora polêmica, convém discutir até que ponto as questões que definem a identidade cultural de um povo estão acima da integridade física e do direito de escolha da mulher. Para esta reflexão, a prática da infibulação pode auxiliar: esta prática, que consiste em se costurar ou aderir os grandes lábios, deixando-se uma pequena abertura para urinar, tem o objetivo de impedir a mulher de ter relações sexuais antes do casamento, preservando sua virgindade e tem sido observada no leste da África e entre índios peruanos.

Nos trabalhos de Educação Sexual, as perguntas formuladas referentes a este tema são do tipo: a) Quando os homens e as mulheres deixam de ser virgens?; b) Como posso saber se uma mulher é virgem ou não?; c) Um homem ou uma mulher podem deixar de ser virgens se masturbando?; d) O que muda depois de se perder a virgindade?; e) Por que é importante para a mulher não perder a virgindade?

Estes são questionamentos que demonstram como os adolescentes tentam buscar receitas para seus próprios comportamentos e/ou, transferir aos outros a reflexão e a definição de suas condutas. É preciso questioná-los no sentido de levá-los a descobrir seus próprios valores confrontando com o processo de formação dos mesmos, com as influências familiares e sociais que tiveram. É preciso desmitificar o tabu da virgindade feminina e desconstruir a trama preconceituosa, repressora e incoerente que trata os direitos de homens e mulheres através de "dois pesos e duas medidas".

Sem dúvida esta postura, socialmente dúbia, demonstra como, a sociedade moderna em se tratando de sexualidade, pode assumir, ainda nos dias de hoje, uma posição de incoerência frente às práticas de homens e mulheres. Paradoxalmente, é nesse contexto de crítica aos dias atuais que a sociedade moderna traz à tona uma mulher mais voltada às conquistas do espaço público e mais preocupada com sua saúde, quer seja ela reprodutiva, quer seja ela prazerosa. Intensificam-se as propagandas de absorventes internos com o apelo ao bem-estar e praticidade da mulher, que esbarram com a concepção de preservação da virgindade himenial. Com isto surge um novo tabu social: contra os absorventes internos que, embora recentes, trazem consigo a força e a veneração deste preconceito. Mesmo que os absorventes internos sejam fruto da tecnologia moderna e tenham encontrado na mulher de hoje uma conduta mais liberal, seu uso ainda esbarra: na desinformação biológica; no culto da virgindade pela manutenção da integridade himenial; no mito da virgindade associada à pureza e à virtude e; no controle do comportamento sexual da mulher.

A importante superação de todos estes obstáculos requer a discussão à luz das relações de gênero, em prol do direito feminino de escolha em relação ao seu próprio corpo. Aspectos estes que não podem ser excluídos dos trabalhos de Educação Sexual.

ATO SEXUAL DURANTE A MENSTRUAÇÃO

Tenho consciência da dificuldade que representa desentranhar uma herança cultural que domina o comportamento das mulheres há mais de 2000 anos, principalmente nos países do Terceiro Mundo onde a menstruação está associada à juventude e à feminilidade. Na realidade, tudo indica que no passado remoto, quando as mulheres começavam a ovular depois dos 18 anos e morriam antes dos 30, a menstruação era um fenômeno raro.

Elsimar Coutinho (1996, p.18)

Idéia que se constitui no mito:
que práticas sexuais durante a menstruação causam males à mulher e podem transmitir DSTs (Doenças Sexualmente Transmissíveis).

Dependendo da sociedade, a idéia de transmissão de DST dá lugar a outras crenças, como em muitas culturas onde "a cópula durante a menstruação é proibida ou não é vista com bons olhos, por exemplo, entre os hindus. Os Nayaar, da Índia, inclusive, acreditam que o homem que copular com uma mulher menstruada provavelmente ficará impotente". Os esquimós, embora possam ser divididos em grupos distintos quanto à sexualidade, apresentam certas práticas comuns. Especialmente "entre os esquimós asiáticos, há a crença de que o contato com uma mulher menstruada pode contaminar o homem e levá-lo a se afogar no mar"[187].

Estes exemplos mostram como o mito reside em erros de compreensão biológica. No primeiro caso, associa, erroneamente, ato sexual, menstruação e impotência. No segundo exemplo, o ato sexual com mulher menstruada poderia levar a um delírio e ao conseqüente suicídio por afogamento.

Nos trabalhos de Educação Sexual, as perguntas formuladas referentes a este tema, são do tipo: a) Quais as conseqüências de se transar com uma mulher menstruada? O questionamento reforça a idéia de que, na nossa sociedade, há o mito de se "transar" com mulheres durante a menstruação, gestação e/ou amamentação, pela forte associação na crença popular, que tais atos implicariam numa "contaminação" ou por serem estes atos sujos ou imorais.

Procuro conduzir a discussão dos aspectos de ordem cultural, abordando que a decisão de atividades sexuais durante a menstruação, por exemplo, depende apenas das pessoas envolvidas, de suas preferências e disposição (não esquecendo que muitas mulheres experimentam grande desconforto durante este período). No entanto, para muitas mulheres, após passados os dois primeiros dias, onde o fluxo é maior, ter relações sexuais durante este período pode ser mais prazeroso, uma vez que a tranqüilidade é maior em relação ao fato de não engravidar.

Juntamente com essa pergunta, outras geralmente são suscitadas por parte dos educandos e discutidas. Entre elas: é possível se engravidar durante a menstruação? Se a AIDS é transmitida através dos fluidos sexuais e do sangue, quais os cuidados a serem tomados? Pode a mulher gozar igualmente durante o período menstrual? É preciso considerar que os fluidos menstruais, quando infectados pelo HIV ou outros agentes causadores de DST, podem ser os causadores de contaminação de parceiros. Da mesma forma que o corpo feminino apresenta-se, nesta fase, mais receptivo à contaminação, pela maior possibilidade de absorção e sensibilidade das mucosas. No entanto, os cuidados em se relacionar sexualmente através de práticas de sexo seguro são tão importantes neste período como em qualquer outro do ciclo.

O que é preciso discutir, neste mito-tabu, é o quanto ele é reforçado por crenças religiosas associadas às práticas sexuais durante a menstruação. Este tipo de discurso contribuído para a instauração e a permanência de idéias associadas à impureza da mulher neste período do ciclo menstrual. No Levítico 15, "quando uma mulher tiver seu fluxo de sangue, ficará impura durante sete dias [...] Todo móvel em que ela se deitar durante sua impureza, será impuro, e igualmente tudo em que ela se assentar. Quem tocar em sua cama lavará suas vestes, banhar-se-á em água, e ficará impuro [...] Se alguém dormir com ela, e for tocado por sua impureza, será impuro durante sete dias, e toda cama na qual se deitar será impura"[138].

O *mikvah* é um termo hebreu para designar uma espécie de banho ritual de uma mulher cujo período menstrual terminou. Em algumas comunidades de judeus ortodoxos, a mulher só pode voltar a ter relações sexuais depois de submeter-se ao *mikvah*[139].

Fora do âmbito religioso, para aqueles que buscam explicações mais racionais para as proibições das práticas sexuais durante o período de menstruação, é possível considerar que o mal-estar orgânico generalizado, experimentado por algumas mulheres durante esta fase, pode ter sido usado como fato legitimador dessas idéias repressoras.

Penso que, de um modo geral, nossa cultura dá muita atenção à aparência física das mulheres, mas pouca, à sua saúde. E poderíamos dizer mais: pouquíssima atenção é dada ao autoconhecimento corporal, à compreensão dos fenômenos comuns durante a menstruação, por exemplo, e as possíveis oscilações físicas e emocionais a que o público feminino está sujeito durante este período. Se para algumas mulheres os 4-6 dias de menstruação podem passar desapercebidos, para outras podem constituir-se em incômodas sensações. Neste sentido, o papel da escola e da Educação Sexual é fundamental no processo de discussão e compreensão do corpo e da sexualidade femininas.

A iniciativa popular pelos direitos da mulher tem mostrado a importância de entidades e organizações civis, no desenvolvimento de trabalhos de conscientização acerca das vivências da sexualidade, da auto-estima e da tomada de novas posturas frente à vida. Destaco a "Rede de Informação Um Outro Olhar"[140] que tem divulgado importantes informações para o público feminino com relação às possibilidades de uma vida sexual positiva e mais saudável durante a menstruação: " ... para você não sair por aí tentando esganar o companheiro pensando em se atirar pela janela a cada mês, vale a pena observar algumas dicas: primeiro, como regra geral, faça exercícios físicos regularmente ou, pelo menos, antes da menstruação (durante também), e caminhe uma meia hora, ou mais. Depois, capriche na alimentação *light*, com cereais integrais, legumes, verduras e frutas. Esqueça coisas gordurosas e condimentadas. Coma pouco e evite bebidas estimulantes como café, chocolate e álcool. Abuse dos chás de artemísia e camomila e experimente ingerir vitamina B6 e compostos de cálcio e magnésio, estes últimos, é claro, com indicação de sua médica. E seja mais feliz!!!"[141].

HOMOSSEXUALIDADE[142]

Há horas em que a pessoa se vê forçada a escolher entre viver sua própria vida inteira, plena e completa, ou então levar adiante uma existência falsa, vergonhosa e infame conforme o mundo, em sua hipocrisia, exige.

Oscar Wilde (1997, p. 24)

Em 1869, o médico húngaro Karoly Maria Benkert inventa a palavra homossexualismo, no contexto do discurso da medicina ocidental, para caracterizar uma forma de comportamento "desviante" e "perversa" entre pessoas do mesmo sexo; portanto, o sujeito homossexual passa a existir, na história humana, apenas a partir do século XIX.

HOMOSSEXUALISMO (o termo original), é uma palavra híbrida, formada pela fusão de três radicais de origem lingüística distinta: 1. do grego, *homo* = "igual, semelhante, o mesmo que"; 2. do latim, *sexus* = sexo; 3. do latim, *ismo* = "próprio de", "que tem a natureza de", "condição de". O sufixo *ismo* ao ser incorporado reforçou na representação da palavra os pressupostos da época (religioso-moralista, médico-patológico, jurídico-criminal) para os relacionamentos entre pessoas do mesmo sexo, ou seja, algo de natureza anormal, essencialmente patológico, doente, desviante, perverso, pecaminoso. A partir do momento em que este tipo de atração erótica começou a ser re-significado pelas ciências do século XX o termo HOMOSSEXUALIDADE (do latim, sufixo *dade* = "qualidade de") passou a ter a preferência de muitas pessoas por referir a este tipo de relacionamento, não como uma condição desviante ou doença, mas sim, como uma possibilidade legítima de homens e mulheres viverem seus afetos e prazeres. Hoje, igualmente positivos, contudo, com compreensões distintas, dependendo de cada autor(a), a homossexualidade pode também ser apresentada pelas palavras homoerotismo, homoafetividade, homoconjugalidade.

A homossexualidade, juntamente com a prática e a vivência heterossexual e a bissexualidade, constitui o que se define como a ORIENTAÇÃO SEXUAL de cada pessoa, ou seja, "o desejo sexual, aqui relativizado como as muitas possibilidades do prazer. Assim, orientação sexual não é o mesmo que PRÁTICA SEXUAL (aquilo que as pessoas fazem no sexo), nem do que IDENTIDADE SEXUAL (como as pessoas se sentem ou são nominadas a partir de suas práticas sexuais)"[143].

Hoje, inúmeras áreas do conhecimento consideram normal o desejo erótico e afetivo entre pessoas do mesmo sexo, inclusive os campos disciplinares que no século XIX significaram-na como doença (a medicina, a psiquiatria, a psicologia). Se sentir atraído ou atraída por pessoa do mesmo sexo não é doença! Desde 1985, o Conselho Federal de Medicina (CFM) no Brasil, considerou sem efeito o parágrafo 302.0 do Código Internacional de Doenças (CID) da Organização Mundial de Saúde (OMS) que, desde 1948, catalogava o homossexualismo como desvio e transtorno sexual. Em 1991, a Anistia Internacional passou a considerar violação dos direitos humanos a proibição da prática homossexual. Em 1993, a OMS tornou sem efeito o código 302.0 do CDI – na 10ª edição do Código, o texto sobre a orientação sexual passou a afirmar que ela, "por si só não pode ser considerada como transtorno"; para a OMS, é o preconceito e a discriminação que levam as pessoas homossexuais a terem angústias, ansiedades, depressão e tristezas. Em 23 de março de 1999, o Conselho Federal de Psicologia (CFP) no Brasil, aprovou a Resolução CFP nº 001/99 que "Estabelece normas de atuação para os psicólogos em relação à questão da Orientação Sexual", recomendando que ninguém deve ser submetido a qualquer "tratamento de cura" por desejar e/ou se relacionar com pessoas do mesmo sexo.

Homens e mulheres podem ser homossexuais. Nas relações entre homens, seus integrantes são comumente chamados de *gays*. Costuma-se denominar a homossexualidade feminina de lesbianismo e as mulheres homossexuais de lésbicas.

Se, em nossa sociedade, a homossexualidade é significada como um tabu, repleto de preconceito e discriminação, em algumas outras culturas, essa prática sexual pode se apresentar-se institucionalizada (por exemplo, entre os esquimós). Entre os Zande, povo africano radicado na região do Congo sudanês, há o costume de adiar o casamento até os 30 ou 40 anos de idade, fazendo da pederastia uma prática comum[144]. Além deste caso, a pederastia pode apresentar outra forma curiosa, como a observada entre os indivíduos de Siwa (um oásis egípcio no início do século XX), e entre os Nambutji australianos, que mantém o casamento pederástico – um "tipo de casamento entre um menino de 12 a 18 anos e um homem adulto. Todo jovem se casa com o homem que o circuncidou por ocasião da cerimônia de iniciação. O garoto pode desempenhar tanto o papel passivo como o ativo, sendo-lhe possível, inclusive, casar-se com a filha de seu 'marido', posteriormente"[145].

Há culturas que definem a homossexualidade como ocasional, circunstancial ou específica: "em Tsuana, uma grande sociedade em Botsuana, na África, o casamento geralmente é polígamo, com preferência pela forma sororal;

co-esposas podem ter relações homossexuais, especialmente quando o marido está ausente"[146].

Há sociedades, todavia, que condenam esta prática, associando a ela certas crenças repressoras – a "sociedade africana Fang, apresenta crenças e costumes sexuais bem característicos, entre eles, a atitude depreciativa em relação à homossexualidade e crença de que a sua prática será punida com a lepra"[147].

Esta pequena introdução, apresentando algumas culturas onde o relacionamento entre pessoas do mesmo sexo apresenta diferentes significados, visa apenas a mostrar que esta prática está presente na humanidade, relatada na história desde as mais remotas civilizações até os dias atuais. Penso que, na Educação Sexual, o mais importante não é buscar uma explicação causal para este tipo de desejo ou questionar sua legitimidade dentro da sexualidade humana; mas sim, entender como cada sociedade, ao seu tempo e ao seu modo, determina as representações, as proibições e as concessões a este respeito. Este processo de construção humana não é neutro ou isento de intenções. Ele se dá em campos de disputa pelo poder-saber, tornando a sexualidade um campo político da vida humana.

Listei cinco idéias que, comumente, se apresentam nos trabalhos de discussão da sexualidade e que caracterizariam os mitos mais comuns acerca dessa vivência sexual. São elas:

Primeira idéia que se constitui no mito:

que são os desequilíbrios existentes ao nível dos hormônios sexuais os responsáveis pelas práticas homossexuais.

Segunda idéia que se constitui no mito:

que os (as) homossexuais são infelizes ou que é impossível alguém ser feliz vivendo a homossexualidade.

Terceira idéia que se constitui no mito:

que gays praticam, necessariamente, sexo anal e lésbicas não gostam de homens porque não gostam de sexo com penetração vaginal

Quarta idéia que se constitui no mito:

que homossexuais são promíscuos (as), irresponsáveis, imorais ...

Quinta idéia que se constitui no mito:

que na relação homossexual não existe amor, carinho, respeito, fidelidade.

Passarei a discutí-las procurando demonstrar possíveis ligações dessas concepções com os tabus sociais, que acentuam o proposital desconhecimento e discriminação à esta prática sexual e afetiva.

Primeira idéia que se constitui no mito:

que são os desequilíbrios existentes ao nível dos hormônios sexuais os responsáveis pelas práticas homossexuais.

Muitas são as pesquisas tentando apontar uma causa de origem biológica à homossexualidade; cientificamente não há nenhuma conclusão que possa ser considerada significante e definitiva. A idéia de que a causa estaria na matriz hormonal foi, sem dúvida, a primeira hipótese levantada, uma vez que a Biologia conhece a importância dos hormônios na determinação dos caracteres sexuais físicos dos indivíduos e das alterações morfofisiológicas decorrentes de mudanças nas concentrações hormonais, principalmente ao nível embrionário. Entretanto, não se conseguiu obter um quadro de variações hormonais em amostragens adultas de indivíduos com práticas homossexuais que permitisse conclusões que induzissem a uma relação causal. Até mesmo os estudos que constataram tanto menores como maiores índices de testosterona no sangue circulante de homossexuais foram questionados, uma vez que variáveis como o estado de depressão psíquica (onde o hormônio diminui) e o estado de atividade sexual (onde o hormônio aumenta), não foram utilizadas como critério de análise da amostragem.

Outras pesquisas, que também não encontraram conclusão, foram os estudos neuro-fisiológicos de comparação anatômica do hipotálamo de homens e mulheres (homossexuais e heterossexuais), bem como, os estudos de freqüência da homossexualidade em gêmeos monozigóticos, dizigóticos e em irmãos adotivos[148].

Uma das tentativas atuais de explicação da orientação sexual é a idéia de que hormônios atuariam ao nível embrionário, no cérebro (na região do hipotálamo), no que Money[149] denominou fase de "estampagem". Por questões obviamente éticas de comprovação experimental, tal possibilidade constitui-se apenas como suposição[150].

Como discuti anteriormente, buscar causas ou origens não é o mais importante. Muitos estudos atuais – médicos, antropológicos, sociológicos, psicológicos, jurídicos e educacionais – tendem a compreender a atração e o envolvimento entre pessoas do mesmo sexo como uma variável erótica humana, tão possível quanto a heterossexualidade – ambas representadas e significadas na cultura e na história de cada sociedade.

Segunda idéia que se constitui no mito:
que os (as) homossexuais são infelizes ou que é impossível alguém ser feliz vivendo a homossexualidade.

O pressuposto de que a homossexualidade, necessariamente, traga consigo a infelicidade de seus indivíduos revela a descontextualização social de tal afirmação, sobretudo, porque desconsidera o preconceito e a discriminação permanentemente experimentados por homens e mulheres homossexuais; revela, também, a forma reducionista como a questão é analisada e a propositalidade representação negativa à este tipo de desejo erótico e afetivo.

Nossa sociedade se apresenta fortemente caracterizada pela assimetria do poder destinado a certas condutas e setores. É uma sociedade ainda dominada pelos homens e pela hegemonia da conduta heterossexual. Padrões de vivência sexual que não reforcem o machismo, o casal heterossexual e a família institucionalizada, são fortemente discriminados. Neste quadro pergunto: é possível imaginar a "carga" de preconceito que reveste a vida (profissional e familiar) de indivíduos que vivem a homossexualidade? Para muitos(as), é como estar constantemente sob o olhar da censura e da vigia social; se sentem como se estivessem "fazendo algo errado". Com isso, acabam tendo que dissimular seus atos, camuflar suas intenções e esconder da família, seu(sua) companheiro(a) – a pessoa com quem se relacionam ou, até mesmo, vivem. Essas são algumas das possíveis situações constrangedoras vividas, por homens e mulheres que amam pessoas do mesmo sexo. Penso que elas permitem ao mais desatenta(o) cidadã(ão) concluir o quanto, nesse contexto social e culturalmente intolerante, pode se tornar muito difícil ser feliz.

Todavia, é preciso refletir que a felicidade conjugal não está relacionada com a orientação sexual. Da mesma forma que o casamento heterossexual não é qualquer indício ou segurança de felicidade eterna. Penso que a felicidade, relacionada com a "sorte" no encontro e nas escolhas que fazemos ao longo da vida; está relacionada com a afinidade afetiva e sexual, com a identidade entre os casais, com o nível de respeito e diálogo; está relacionada com o amor e com o "investimento" nas relações. Em se tratando de qualquer aspecto, quanto mais respeito existir entre as pessoas e quanto menos "cobranças" existirem entre elas, maior possibilidade há de "estarem felizes". É mais provável que a felicidade seja um estado experimentado em algumas ocasiões da vida. Vivemos momentos de felicidade e não a felicidade completa. Por isso, talvez seja mais adequado dizer que "estamos felizes" do que "somos felizes".

Neste contexto de relacionamentos, familiar e profissional, a palavra "respeito" é costumeiramente utilizada na caracterização do sentimento experimentado, tanto por *gays* e lésbicas, quanto por suas famílias e/ou amigos/colegas. Na tentativa de melhor compreender seu significado, é possível perceber que "respeitar" significa não expor, não afrontar, não causar constrangimento ou vergonha. Um *gay* ou uma lésbica que "respeita" sua família (e, conseqüentemente são "respeitados" por ela), é aquele(a) que não nega sua homossexualidade nem a confirma explicitamente; não assume qualquer postura exageradamente declarada que possa constranger as pessoas que o cercam. Ninguém fala sobre o assunto ... mas todos "sabem" e todos se "respeitam", mutuamente.

De certa forma, este "respeitar" um amigo ou um filho, acaba se traduzindo num conveniente (mas de certa forma hipócrita) faz de conta. Conseguir superar este disfarce, possibilitando a convivência e admitindo a diferença, não tem sido fácil. No entanto, se a necessidade é romper com o preconceito, é preciso romper também com o sentimento de insegurança e aparente ameaça que cerca esta prática sexual e as pessoas que a praticam. Penso que uma forma de superação desse "estado de ameaça" passa pela possibilidade da convivência mútua entre heteros e homossexuais, conhecedores de sua orientação sexual.

Neste sentido, os guetos de homossexuais devem ser repensados, uma vez que acentuam o distanciamento social e estimulam mitos e tabus. A convivência conjunta entre heteros, homos, travestis, transexuais, *drag-queens* ... é uma forma de derrubar os mitos morais e pré-concepções negativas acerca de qualquer prática sexual, pela convivência direta de seus protagonistas e pela valorização das qualidades pessoais. Penso que na longa caminhada política pela busca dos direitos humanos de *gays* e lésbicas, a necessidade do convívio mútuo entre todos os cidadãos se constitui numa das mais importantes e inteligentes estratégias para a incorporação coletiva da idéia de multiplicidade da sexualidade humana, bem como, para garantir a percepção coletiva de que valores morais e de caráter (que são valorizados socialmente), não estão, necessariamente, relacionados, presentes ou ausentes, em qualquer prática e/ou orientação sexual. A Educação Sexual pode demonstrar esta contradição.

Para o movimento *gay*, a palavra de ordem nessa caminhada é VISIBILIDADE. Uma visibilidade política e civil que tem se traduzido na conquista pelo fim da discriminação por orientação sexual e no direito e reconhecimento da união civil entre parceiros do mesmo sexo (atualmente, esta idéia está incorporada e seria viabilizada pelo projeto de Parceria Civil Registrada, no Congresso Nacional). Mundialmente, hoje, a luta por direitos humanos de *gays* e lésbicas, passa por alterar as constituições federais. Em 1996, no dia 08 de maio, a África do Sul tornou-se o primeiro país do mundo a proibir constitucionalmente, a discriminação de seus cidadãos baseada na orientação sexual. A nova constituição sul-africana protege pessoas contra o preconceito por "raça, gênero, sexo, gravidez, estado civil, origem social ou étnica, cor, orientação sexual, idade, incapacidade física, religião, consciência, crença, cultura, língua e nascimento"[151].

Essa discussão de igualdade social, civil e política está diretamente relacionada com a felicidade pessoal, o respeitoso convívio mútuo, a superação do preconceito e pode estar presente nos trabalhos de Educação Sexual.

Neste debate, penso ser também importante discutir alguns aspectos ligados a HOMOFOBIA, problematizando o preconceito sexual, principalmente em relação aos indivíduos que assumem uma vivência homossexual.

Especialmente no Brasil (considerado o país mais homofóbico do mundo) a situação da população de *gays*, lésbicas, travestis e transexuais está associada a um permanente processo de discriminação. Manifestada das mais diversas formas, a discriminação compreende, desde situações de intolerância e exclusão – nos mais diversos convívios íntimos (na família, no círculo de amigos) e em instituições sociais (no trabalho, na escola, nas religiões, na legislação) – como na violação do direito humano da integridade física pessoal até o extermínio cruel e covarde. Embora a orientação sexual não esteja estampada no rosto das pessoas (escrita em sua testa) travestis, transexuais, "homens femininos" e "mulheres masculinas" têm sido, mais freqüentemente, alvos de ataques homofóbicos, especialmente, por terem em suas marcas corporais uma suposta transgressão das fronteiras de gênero, que mais facilmente são identificadas no espaço público.

Todavia, não há quaisquer critérios que possam ser utilizados para afirmar a existência de relação entre a prática sexual de alguém com suas diversas escolhas, em qualquer aspecto que seja. Por exemplo, na questão profissional, a atração sexual e afetiva pelo mesmo sexo pode estar presente em advogados/as, médicos/as, professoras/es, engenheiras/os, deputadas/os, atletas, cabeleireiros/as, policiais, sacerdotes, freiras, cozinheiros/as, dentistas, atores e atrizes, modelos ... todas as profissões que pudéssemos lembrar.

Da mesma forma, não há qualquer relação entre a prática sexual que uma pessoa apresenta com o seu caráter. Muitos dos valores morais são cultivados na família, posteriormente, na escola. Aquilo que aprendemos a valorizar e a guardar como valores de vida, nada tem a ver com a nossa orientação sexual. A bondade e a maldade são qualidades inerentes ao ser humano e não escolhem a homossexualidade, a heterossexualidade, o travestismo para se manifestar. Devemos escolher as pessoas com quem convivemos pelo seu caráter e por suas qualidades.

Por exemplo, um amigo[152]. Como ocorre o mecanismo de conquista nas amizades? Conhecemos alguém, às vezes a simpatia é imediata; às vezes é preciso conhecer melhor a pessoa, conviver mais. Depois de um certo tempo é possível reunir a/s característica/s que nos "conquistou": o grande humor, a facilidade em emocionar-se, a engraçada mania de usar meia com chinelos ou de contar piadas sem graça, a obstinação na superação dos problemas, a busca constante pela competência profissional, a persistência em achar a "vida bela", mesmo diante de situações adversas, o alto grau de altruísmo, o "jeito" para atividades artísticas, a facilidade em falar, a espontaneidade ... enfim, às vezes, basta uma só qualidade.

Basicamente ninguém escolhe um amigo pela sua orientação sexual, mesmo porque se fala muito pouco de sexualidade no começo das amizades. Todavia, o contrário não é incomum: uma amizade pode ser completamente desprezada no momento em que se "descobre" que a/o amiga/o se sente atraída/o e vive um relacionamento com alguém do mesmo sexo. E mais do que isso ... as formas de expressão do preconceito são mais perversas e cruéis do que se imagina. São traduzidas através da ridicularização, da indiferença, do ostracismo, do afastamento sutil e deliberado, do isolamento social. Parece que um surto de amnésia toma conta dos indivíduos que, num simples toque de mágica, "esquecem" todas as inúmeras qualidades que aquela pessoa reúne (porque ela ainda as tem) e que possibilitou a amizade e a admiração anteriores. Nesse momento, não há nada mais importante do que a orientação sexual do indivíduo, nenhuma qualidade a supera, nenhum valor moral é maior. A questão é tão paradoxal que a discriminação pode se estender àqueles que mais admiramos e/ou amamos: um colega profissional, um grande amigo, um parente, um irmão.

Penso que o problema não está na homossexualidade ou nos indivíduos homossexuais. Está na sociedade e no significado dado por ela à esta prática sexual. Uma visão que se transfere às pessoas que, ao não aceitarem a individualidade na "escolha" e, ao não conseguirem lidar com essa possível aceitação de diferentes vivências sexuais, criam um mal-estar generalizado que se instaura no trabalho, na família, no grupo social. A discriminação é a expressão máxima da dificuldade, tanto em aceitar as múltiplas manifestações da sexualidade humana (tentando impor o padrão de vivência sexual aceito – a normal heterossexualidade), como no desrespeito ao direito da escolha individual[153].

Neste contexto social, a homofobia é o extremo do sentimento de preconceito, caracterizado pela completa aversão aos/as homossexuais, expresso em atos que vão desde a agressão verbal até o extermínio – a morte. Principalmente percebida nos homens, a homofobia expressa um comportamento muito mais irracional do que lógico: o homem "precisa" agredir o homossexual para mostrar que "é homem", é macho, para mostrar que não é igual, para mostrar que não aprova, enfim, para ser fiel ao perfil de masculinidade definida para um gênero (que deve ser heterossexual, forte e agressivo, que não chora, que não brocha, que só transa mulheres).

Dentro de uma análise psicossexual de uma vivência como a homossexualidade, César Nunes apresenta-nos um interessante e provocativo ponto de vista, ao demonstrar como as formas de expressão do machismo estão, muitas vezes, relacionadas à grande violência dirigida aos indivíduos homossexuais. Poderíamos, assim, descrever o que o autor chamou de MACHISTA ORTODOXO, como sendo "aquele que ama a si mesmo, cultua o seu próprio sexo e o de seus semelhantes. Faz-se cercar de homens, com estes promove caçadas, pescarias, jogos, freqüenta bares e prostitutas [...] Com a mulher tem uma relação de domínio e de poder, mantendo-a em cativeiro doméstico ou na ostentação social de sua presa fálica. Nos círculos de amigos, zomba e ridiculariza a mulher, tem sempre uma 'boa' contra o feminismo e as 'bichas'[...] Em todos os níveis torna-se violento. Reprime e controla a mulher, bate e mata"[154].

Este perfil inconsciente assumido pelo machista, tendo a si próprio como objeto erótico, não admitindo a igualdade entre os sexos na demonstração desprezível que assume frente à mulher e ao *gay*, seria "uma forma sublimada de homossexualidade"[155]. Dentro deste ponto de vista, estaria implícito uma das diversas formas que assume a homofobia, sugerindo um tipo de "mecanismo de transferência punitiva", ilustrado, por exemplo, "nos casos de michês que assassinam barbaramente clientes homossexuais, na tentativa de quebrar o espelho que reflete sua própria homossexualidade rejeitada"[156].

Penso que, enfaticamente, precisamos discordar de qualquer forma que possa assumir o preconceito e a violência. A homofobia tem se constituído numa demonstração de insanidade humana, de desrespeito ao indivíduo, de usurpação de seus direitos civis e políticos, de afronta à sua vida ... uma demonstração da violenta arrogância daqueles que se consideram "normais" por "serem" heterossexuais. Um exemplo desse quadro, que deve servir para uma profunda reflexão, aconteceu durante o ano de 1997, quando a internet recebeu inúmeras mensagens homofóbicas, covardes e assassinas de um estudante da Universidade Federal de Juiz de Fora (MG). Com o objetivo de orientar como proceder frente aos homossexuais, ele assim se expressou: "... não é difícil espancar um *gay* ... o ideal é sair pelo menos três amigos que não vão sacanear depois e que você sabe que serão leais a você. Use algum capuz para não ser reconhecido e leve um porrete. Siga os passos dele ... quando ele estiver passando por uma rua deserta você o segura e o põe dentro de um carro... Nunca deixe que ele perceba quem você é, pois do contrário terá que matá-lo. Dê chutes nele, na cabeça, barriga, saco escrotal e na espinha. Não tenha medo de aleijá-lo. Você estará fazendo um bem social... Deixe então o corpo do cara no mato ... Se matá-lo, afunde o corpo num rio. Não esqueça de tirar as vísceras para o infeliz poder afundar e ninguém encontrá-lo ..."[157].

Penso que nenhuma regra social, tida como "verdade" na determinação das vivências sexuais "permissíveis", deva superar a integridade física e o direito à vida, tão pouco incentivar a agressão corporal baseada na orientação sexual. Uma Educação Sexual, preocupada com a dignidade humana, pode promover discussões sobre os direitos humanos, bem como, contextualizar, na história do nosso país, a importância de cada instituição pública (família, escola, Igrejas e Estado) na constituição dos atuais níveis de conservadorismo e preconceito refletidos nos modelos hegemônicos de organização social. Inúmeros conceitos podem ser questionados como a família nuclear, o machismo, o patriarcado, o puritanismo religioso, a legislação, os currículos escolares, as diferenças de gênero, a hierarquia entre homens e mulheres, etc.

Terceira idéia que se constitui no mito:

que gays praticam, necessariamente, sexo anal e lésbicas não gostam de homens porque não gostam de sexo com penetração vaginal.

Psicanalistas freudianos costumam situar a homossexualidade masculina na fase onde o complexo de Édipo inicia – a criança se identificaria com seu progenitor do sexo oposto e, ao buscar lutar contra o horror do incesto inconsciente, criaria um obstáculo à realização sexual heterossexual. Esta seria a fase compreendida como anal, onde a fixação prazerosa se intensificaria no ato de defecar, com a transferência da sexualidade para aquela região.

Talvez tenha sido este ponto de vista a favorecer a idéia de que a homossexualidade masculina, necessariamente, se relaciona com o sexo anal e a presença da divisão dos parceiros em ativo e passivo. Contudo, esta "obrigatória" associação tem sido contestada, especialmente, por pesquisas sobre práticas sexuais de homens e mulheres, homossexuais ou heterossexuais. Essa relação explicita mais um fator normatizador de enquadramento rígido da sexualidade humana e a educação sexual que pode problematizar a discussão, dissociando a prática sexual (aquilo que fazemos e gostamos no sexo) da orientação sexual[158].

Tradicionalmente, nossa sociedade tem dividido os indivíduos em dois grupos, em se tratando de papéis sexuais: o "ativo" (o homem), e o "passivo" (a mulher). É de se esperar que esta categorização, por estar extremamente enraizada na nossa cultura, também seja esperada e se encontre reproduzida e transferida às relações homossexuais. No entanto, pesquisas e estudos diversos têm criticado o indiscutível apego a essas idéias: "os homens classificando-se como 'bofe' e 'bicha', e as mulheres como 'fanchona' e *lady*. Em ambos os casos, os primeiros seriam 'ativos' e os segundos 'passivos', reproduzindo as relações de dominação vigente entre homens e mulheres. Mas assim como entre homem e mulher estão ocorrendo mudanças notáveis, também entre casais homossexuais está se dando uma diluição da dicotomia ativo/passivo a partir da maior democratização do relacionamento"[159].

Na expectativa social da sexualidade, há uma "obrigatória" e inquestionável associação entre sexo biológico + orientação sexual + prática sexual +identidade de gênero que se traduz numa lógica onde mulheres e homens devem corresponder aos seguintes modelos: mulher-heterossexual-passiva-feminina; enquanto que o homem-heterossexual-ativo-masculino. Entretanto, as pesquisas, que mencionei no início da discussão desse tema[160], têm demonstrado que o fato de se assumir posturas mais ou menos voltadas aos gêneros masculino ou feminino (que, por exemplo, pode se dar por simples atos cotidianos como a forma de andar, de vestir, de gesticular ... ou seja, pela aparência refletida nas marcas dos corpos) pode significar apenas esta identidade, não havendo, necessariamente, relação direta com os outros aspectos da sexualidade.

A sociedade, por exemplo, discrimina pessoas biologicamente do sexo feminino que apresentam uma identidade com o gênero masculino, ou seja, "mulheres masculinizadas". Da mesma forma em relação oposta – "homens efeminados". Mulheres masculinizadas e homens efeminados podem apenas traduzir uma identidade com o gênero, não havendo, necessariamente, uma correlação direta com a orientação sexual ou com a prática sexual. Em alguns casos, esta identidade pode adquirir um caráter passageiro: certos aspectos e condutas são verificados durante a infância e adolescência, mas não observados na fase adulta, por exemplo. Quando mulheres que querem se fazer passar por homens e vice-versa imitam seus estilos de caminhar, falar ou de vestir, demonstram como é possível o transitar humano pelos modelos estereotipados do masculino e do feminino, de modo reversível ou não, conforme os interesses e a identidade pessoal, a situação, a circunstância.

Taylor (1997), mostra-nos como cada sociedade pode conferir diferentes significados aos papéis assumidos por homens e mulheres. Descreve o observado entre diversos povos do Alaska, entre eles os Kaska e os Ingalik. Para eles, é fundamental (vital para a família), a existência de filhos homens, uma vez que a sobrevivência da família está relacionada à caça de animais de grande porte, tarefa esta, do gênero masculino. No caso de famílias constituídas apenas de mulheres, por volta dos cinco anos de idade, uma delas é escolhida para se "tornar um homem". "Na tribo Ingalik, essas mulheres-macho participam de saunas masculinas, onde seu sexo biológico é aparentemente ignorado" (p.197).

A ênfase social aos modelos de gênero reflete o poder da hegemonia heterossexual. Esta, ao normalizar o casal constituído por um homem e uma mulher, apropria-se das idéias sociais que constroem os gêneros em nossa cultura, definindo o masculino-homem como sendo viril, forte, insensível e dominador; e o feminino-mulher como sendo passiva, frágil, sensível e submissa. Esses modelos encontram também na instituição da família nuclear um considerável reforço ao basear nela uma rígida divisão de papéis que transferem ao homem o poder e o prestígio do espaço público e, à mulher, o espaço de família e o cuidado dos filhos. Tacitamente, é acentuada a noção de que o masculino-homem e o feminino-mulher são, automaticamente, sinônimos de relacionamentos e desejos heterossexuais e de sexo com penetração vaginal. Tal associação é indiscutivelmente contestada quando observamos que a maioria dos *gays* e lésbicas se mantém na identidade do gênero esperado pela sociedade (ou seja, são homens masculinos e mulheres femininas), no entanto, com vivência homossexual (desejam, amam e se relacionam com pessoas do mesmo sexo).

Um aspecto curioso na pesquisa que mencionei anteriormente que ilustra o poder das representações hegemônicas nos mostra como a incorporação de idéias préconcebidas e limitantes da sexualidade podem determinar, entre lésbicas, o preconceito por certas práticas sexuais por serem consideradas "naturalmente" exclusivas de outras vivências. Um exemplo disso, é a postura frente ao ato sexual com estimulação e penetração vaginal, que pode ser discriminado pelas próprias lésbicas, simplesmente por constituir-se no padrão definido para conduta heterossexual – que prevê um homem e uma mulher. Embora entre mulheres haja múltiplas possibilidades práticas de se chegar ao prazer e ao orgasmo, há lésbicas que não praticam tais atos por preconceito, em função da associação restrita à conduta heterossexual – uma restrição simbólica associada fortemente à orientação sexual. Entretanto, a mesma pesquisa mostrou que muitas mulheres homossexuais podem sentir prazer e orgasmo com a estimulação vaginal em práticas com suas parceiras (inclusive, muitas se relacionaram sexualmente com homens, em algum momento de suas vidas). Para elas, o aspecto determinante da escolha por outra mulher é de ordem afetiva e subjetiva (e não da prática sexual), ou seja, a capacidade de amá-las. Homens gays também mencionaram situações de prática sexual com mulheres mas, diferenciam os níveis de envolvimento afetivo que, com homens, foi maior.

Homens e mulheres conferem diferente importância em seus relacionamentos ao prazer físico e a gratificação sentimental. Sem dúvida, o prazer sexual apresenta forte influência do componente biológico. O sexo pode constituir-se num ato eminentemente físico onde o corpo responde aos estímulos, conferindo à pessoa, inúmeros prazeres táteis que independem do sexo do parceiro. O tato, a sensibilidade, a excitação reflexa são exemplos de que há um limite de respostas que são biológicas, orgânicas. Portanto, há homens e mulheres, homo ou heterossexuais que praticam o sexo pelo sexo, como um ato de prazer corporal. Em contrapartida, para muitos/as, há uma diferença entre o prazer físico e a gratificação sentimental: se o prazer físico na relação pode ser alcançado através de estimulação do corpo e dos órgãos sexuais, com satisfação e gozo em diferentes níveis, por outro lado, a afetividade, os níveis do desejo, o simbolismo da erotização (componentes individuais e subjetivos), desafiam e ampliam a gratificação sentimental, indispensável ao prazer no ato sexual e à felicidade no relacionamento.

Parece claro que aquilo que fazemos ou deixamos de fazer no ato sexual é definido pelas nossas preferências individuais associadas às nossas fantasias eróticas. Ter preferência por certas práticas sexuais depende exclusivamente do gosto pessoal e do quanto somos estimulados (por nossas fantasias ou pelo/a parceiro/a). Portanto, é um mito acreditar que as lésbicas não vêem na penetração vaginal uma possibilidade de prazer. Como é um mito, também, acreditar que toda mulher heterossexual, necessariamente, gosta e se realiza com este tipo de sexo, mesmo desejando homens. O mesmo para a rigorosa associação entre *gays* e o sexo anal.

Quarta idéia que se constitui no mito:
que homossexuais são promíscuos (as), irresponsáveis, imorais...

Quinta idéia que se constitui no mito:
que na relação homossexual não existe amor, carinho, respeito, fidelidade.

Dentre os mitos sociais que envolvem a caracterização da homossexualidade, encontramos a idéia de que esta prática sexual traz consigo, necessariamente, a promiscuidade, a safadeza, a libertinagem, a irresponsabilidade, a busca única por prazer e por envolvimento carnal. Esta forma de interpretação, propositadamente, desconsidera a possibilidade de haver sentimentos, carinho e amor nas relações entre pessoas do mesmo sexo, uma vez que "animaliza" os indivíduos homossexuais. Esta não é a realidade observada nas pesquisas realizadas com *gays* e lésbicas que amam, se apaixonam, sofrem, se desiludem e sonham como qualquer outra pessoa. Excluir da homossexualidade os chamados "sentimentos nobres humanos", reforçados pelo cristianismo que prega o "amor ao próximo", expressa um contraditório preconceito – um paradoxo que tem contribuído para legitimar os atos de discriminação e de violência sobre *gays* e lésbicas.

Na nossa cultura se costuma alegar, como uma das formas de justificar o tabu contra a homossexualidade, o argumento de que esta prática deve ser condenada (considerada até mesmo "anormal", um desvio da natureza), uma vez que não possibilita a reprodução. Torna-se importante discutir que, em se tratando de seres humanos, ao contrário dos demais animais, a fertilidade e a conseqüente reprodução, não é, e nem pode ser considerada como critério de "normalidade sexual". Temos uma cultura que nos permite escolher o objetivo final de todo o nosso envolvimento sexual que nos permite definir que a reprodução pode ficar em segundo plano quando o principal é a relação afetiva e prazerosa, que nos permite interferir no determinismo biológico reprodutivo e no determinismo cultural repressivo. Além disso, se formos seguir o raciocínio de uma "normalidade" dependente da reprodução, não deveríamos desconsiderar e desencorajar toda e qualquer atividade sexual que não levasse à perpetuação da espécie (quer pelo uso de anticoncepcionais ou pela involuntária esterilidade)? E essa não é uma condição também presente em muitas relações heterossexuais?

Podemos problematizar a questão perguntando, afinal, o que leva alguém (homo ou heterossexual) a estabelecer um relacionamento duradouro com outra pessoa? O que leva alguém, homem ou mulher, a viverem juntos 2, 5, 10, 15, 20, 30, 40 anos? Enganam-se aqueles/as que pensam que é apenas o sexo (a prática sexual) que mantém um "casamento". As pessoas (aquelas que amam o sexo oposto ou aquelas que amam o mesmo sexo), buscam na conjugalidade, o convívio, o respeito, a ajuda mútua, o carinho, o amor, o companheirismo, o compartilhar dos sonhos. Será que não é exatamente a possibilidade em estabelecer laços afetivos com ambos os sexos e a possibilidade subjetiva de erotizar e significar este outro (capacidades inerentes apenas à espécie humana) que torna a homossexualidade tão possível e normal?

Penso que nos trabalhos de Educação Sexual a compreensão da vivência homossexual deve ser conduzida sob um olhar político: o da busca pela igualdade de direitos humanos que, se por um lado são incontestáveis nos limites da cidadania, socialmente, adquirem o caráter do inatingível pelos obstáculos normalizadores do padrão de vivência heterossexual e pela segregação social mantida pela discriminação sexual. A questão em si, passa pela necessária e vital separação da vivência sexual com os aspectos de ordem moral. É preciso analisar e discutir o direito das práticas sexuais ditas marginais e excluídas, fora da censura moral. Esta, sim, é inventada, construída e alicerçada nos padrões hegemônicos que vêem no patriarcado, no machismo, no restrito modelo de família e na heterossexualidade a norma, inquestionável, de toda conduta humana.

....

Bissexualidade

Será que você será, a dama que me completa,
Será que você será, o homem que me desperta...
Tudo que eu pensei ser pra sempre
Eu já não sei se é mais
Penso na menina e fico atenta aos braços do rapaz
Vai ver que eu quero alguém diferente
Vai ver que eu quero ser ... Como te dizer...
Será que você será, a dama que me completa,
Será que você será, o homem que me desperta ...

Pedro Pimentel & Marina Lima, 1991

Idéia que se constitui no mito:

Que homens e mulheres bissexuais transam com ambos os sexos em relacionamentos simultaneos e promíscuos.

A bissexualidade, juntamente com a homossexualidade e a heterossexualidade faz parte do que se definiu como orientação sexual. Esta vivência, pressupõe a atração erótica e a possibilidade de envolvimento sexual e afetivo com ambos os sexos.

O termo bissexual, além de definir o direcionamento do desejo erótico (a orientação sexual), numa outra abordagem, tem sido usada para se referir a presença de órgãos masculinos e femininos num mesmo organismo. Herança das ciências biológicas, esta definição é sinônimo de hermafroditismo – tanto aquele natural (minhoca, tênia, algumas flores) quanto aquele decorrente de uma má formação embriológica durante a gravidez (nos seres humanos).

Tenho observado ao longo dos trabalhos de Educação Sexual, a comum associação da bissexualidade com a prática simultânea de parceiros e com a infidelidade e a promiscuidade. Essa pré-concepção, além de demonstrar um aparente equívoco, não poderia ser vista como propositalmente conservadora, moralista e preconceituosa?

Uma reflexão possível ao trabalho de Educação Sexual é refletir considerando que, potencialmente, os indivíduos bissexuais podem se atrair e se relacionar por homens e mulheres. Essa possibilidade erótica e afetiva não significa, necessariamente, que esses envolvimentos se darão ao mesmo tempo. A vivência simultânea de relacionamentos não está relacionada com a bissexualidade (ou com qualquer outra orientação sexual). As pessoas podem ter um relacionamento, dois, três ou mais; essa escolha não depende da sua orientação sexual (hetero, homo ou bissexual), mas sim dos valores que considera importantes --- a honestidade, o respeito, a fidelidade. Além disso, poderá depender do tipo de relacionamento definido e estabelecido entre os/as parceiros – para muitas pessoas triângulos amorosos, por exemplo, são vivências negociadas e intencionalmente buscadas.

Precisamos estar atentos quando, em nome de uma hipócrita moral social, se tenta transferir às práticas sexuais não hegemônicas (e às pessoas que as vivenciam) a conotação de promiscuidade, safadeza ou imoralidades de todas as ordens. A heterossexualidade está repleta de circunstâncias "socialmente condenáveis", como o adultério, a prostituição, o abuso e o assédio sexuais, o incesto, a pedofilia, e nem por isso discute-se ou questiona-se sua legitimidade.

CONCLUINDO

... no Brasil, a questão da Educação Sexual, se não ignorada, tem ocupado pouquíssimo espaço nas Universidades. Agindo assim, a 'academia brasileira' contribui para que a questão continue obscura e pouco explorada nas suas várias dimensões e possibilidades, inclusive numa área que lhe atinge diretamente, e que vem sendo sistematicamente criticada, que é a da formação de educadores.
Graça Soares (1997, p. 11).

Procurei mostrar, ao longo deste livro que os trabalhos de Educação Sexual podem proporcionar a discussão de diversos mitos e tabus sexuais. Inicialmente, identificados na fala dos/as participantes de minhas pesquisas, essas idéias constituem-se em representações facilmente identificáveis no contexto social atual.

Considero eficiente usar como estratégia didático-metodológica à problematização a análise histórica do surgimento dos diversos discursos instituidores de "verdades", bem como, discutir as supostas intencionalidades e efeitos dessas invenções humanas. Costumo dizer que toda pergunta formulada já traz consigo uma gama de informações e pré-concepções a respeito do assunto e, partindo dela, pode-se avançar, mais eficientemente, no trabalho pedagógico.

As resistências encontradas na Educação Sexual por parte daqueles que participam dela podem estar relacionadas aos saberes pré-concebidos que "lutam" e resistem ao conhecimento novo ou, simplesmente, re-significado. Isso nos mostra como a deseducação sexual tem sido eficiente. Para que haja uma real mudança de comportamento é necessário que não só a/o educadora/or, como também, os/as educandos/as percebam como a informação apenas não basta. É preciso um profundo exercício intelectual de assimilação e contextualização histórico/político visando uma real mudança de postura frente às práticas sexuais e frente à vida.

Os mitos e os tabus sexuais existentes são o reflexo de uma herança de permanente vigia da sociedade em relação à sexualidade individual e coletiva, tanto no espaço privado (do lar, da casa, da família), como nos espaços públicos (do trabalho, da rua, da mídia, da escola). Herdamos e construímos, a cada dia, um meio sócio-cultural que vigia a sexualidade alheia na tentativa de coagir as ações individuais e enquadrá-las nos modelos hegemônicos e "permitidos", inventando inúmeras representações sexuais através de diversos discursos.

Hoje, vivenciamos uma cultura construída e fortemente influenciada pela moral da Igreja judaico-cristã e pelas idéias greco-romanas sobre organização social e sobre a sexualidade. "A Humanidade sempre buscou formas de regulamentar as condutas amorosas, conjugais e sexuais"[161] e as idéias hoje hegemônicas no Ocidente são o resultado desse processo de influência, ao longo da história, de concepções oriundas da Antigüidade Clássica e da Idade Média, por meio de seus respectivos pensadores. Portanto, as concepções atuais daquilo tido como "certo" e "errado" na sexualidade humana, dos relacionamentos afetivos e amorosos "permitidos" e tidos como "normais", as concepções acerca da noção de "masculino" e "feminino", da idéia de "homem" e de "mulher", entre outras, são construções históricas e poderiam ter sido concebidas diferentemente em outros tempos. Muitas de nossas "verdades" atuais foram definidas por pensadores, ao longo da trajetória do Ocidente, que influenciaram decisivamente as instituições públicas (estado, escola, igreja), na sua missão de moldar as condutas humanas frente à sexualidade.

O filósofo Epicuro ao dizer que "o bem e o mal são construções da mente humana e totalmente relativos"[162], já no século IV a.C., questionou a "naturalidade" de um dualismo humano e alertou-nos sobre como as representações humanas que constituem-se nas verdades inquestionáveis e inabaláveis de nossa existência social devem ser vistas como construções de um tempo, podendo ser re-significadas. O permanente estudo reflexivo deste contexto histórico e político é fundamental na atuação de educadoras e educadores sexuais críticos. Entendo o trabalho pedagógico a partir de uma re-significação dos mitos e tabus sociais/sexuais que passa, necessariamente, pelo corajoso ato de encarar os medos, as vergonhas e os preconceitos – individuais e coletivos – a partir da compreensão dos mecanismos de poder que os define.

Discuti, em um artigo recente[163], que são as idéias culturais que definem o mecanismo de surgimento dos mitos e tabus sociais. Como espécie humana temos um potencial biológico, que embora reconhecidamente importante, não determina sozinho nossa sexualidade. A humanidade conseguiu, ao longo de sua evolução, distanciar-se, gradativamente, do radicalismo de um determinismo biológico. Hoje, mais do que genes, herdamos e transmitimos informações aprendidas através da nossa cultura.

Aquilo que leva uma pessoa a ser preconceituosa (ou não) é encontrado e determinado no seu processo de educação. Embora a manifestação desses símbolos aprendidos seja individual, idéias preconceituosas estão inseridas nos processos sociais, culturais e na história de uma pessoa, de um povo, de um país. Reforçando os significados preconceituosos surgem os estereótipos. Esses mecanismos simbólicos são aprendidos e ensinados na cultura, no meio social e reforçados na educação, seja ela formal (na escola), ou informal (na mídia, na família, nas instituições públicas, nas igrejas, etc). Uma das principais tarefas e empenho da Educação Sexual na escola tem sido a de compreender esses códigos sociais que ensinam, coletiva e inconscientemente, idéias preconceituosas acerca das diferentes vivências e manifestações da sexualidade[164].

É indiscutível que a multiplicidade cultural tem nos apresentado uma sexualidade em constante divergência, resistência e em permanente recusa da visão, unicamente reprodutiva, imposta pela biologia. Vivemos na pós-modernidade e ela nos mostra, através da globalização econômica e cultural, o inquestionável potencial da diversidade sexual humana. Cada contato despretensioso com a mídia pode nos proporcionar o acesso: aos anticoncepcionais de todos os tipos e usos; à clonagem animal e humana, aos implantes de silicone e próteses penianas, à inseminação artificial e aos bancos de esperma. Num cenário paradoxal, vemos as 'barrigas de aluguel' e as cesarianas, os tratamentos para fertilidade e a esterilização em massa pela laqueadura; as adoções legais e o tráfico de crianças, o aborto e o controle da natalidade, os exames de DNA e as cirurgias de re-designação sexual. Travestis, transformistas, transexuais, *drag-queens* e *drag-kings* tomam a cena, acompanhados pelo sexo virtual, pelo cibersexo e pelo erotismo na internet. Convivemos, ainda, com a arte erótica, o nu artístico, a pornografia e a prostituição. Movimentos de direitos humanos nos mostram a luta pela visibilidade e pela cidadania de homossexuais, que nos obriga a rever nossos mais conservadores conceitos de amor, casamento e família e direcionam as políticas públicas à diminuição das desigualdades sociais pelo acesso aos direitos civis desses grupos.

Todos esses, e muitos outros aspectos, fazem parte da diversificada cultura sexual humana e nos dizem a todo o momento que, independente do tipo de organização social e do tempo histórico tido como bússola, as interações eróticas e a política do prazer não são fixas. A sexualidade humana, com todas as suas possibilidades de relacionamentos e representações, mostra-nos que a supremacia de certas práticas sexuais sobre outras encontra no jogo do poder e no eficiente doutrinamento balizado pelas instituições sociais seu maior (porém contestável) suporte. São as pessoas, conhecedoras e críticas desses construídos mecanismos de coerção da sexualidade individual e coletiva, que podem re-escrever sua própria história de prazer e de felicidade.

Para isso, é preciso romper com os mecanismos opressores que legitimam os mitos e os tabus sexuais. É preciso, independente de qualquer vivência sexual, dizer "não" a toda e qualquer forma de preconceito, segregação ou exclusão social. É preciso posicionar-se claramente contra a contraditória hipocrisia social que dá mais valor às práticas sexuais hegemônicas do que ao valor humano das qualidades e do caráter pessoal. É preciso ter a coragem para tornar a Escola e a Universidade, locais de crítica latente e de permanente resistência, buscando, através de uma Educação Sexual sistemática, a superação dos estereótipos e de todas as formas de preconceito. É preciso vislumbrar a entrada de um terceiro milênio, com uma postura mais digna e corajosa de defesa pelos direitos humanos e, portanto, politicamente engajada na busca de uma cidadania real, sexualmente plena e feliz.

NOTAS

[1] NUNES, 1987, p. 114-115.
[2] SILVA, 1993, p. 122.
[3] FERREIRA, 1986, p. 931.
[4] FERREIRA, 1986, p. 931.
[5] JAPIASSU & MARCONDES, 1990, p. 169.
[6] Quanto a esta questão, sugiro ler Cabral (1995); nas páginas 38 a 41 a autora aprofunda a discussão acerca da mitologia grega e suas implicações na visão dualista entre o bem e o mal e, nas páginas 41 a 46, discute a influência dos filósofos da Antiguidade sobre as concepções morais do Ocidente.
[7] GOLDENSON & ANDERSON, 1989, p. 179.
[8] GOLDENSON & ANDERSON, 1989, p. 156. Mantive aqui, a expressão 'distúrbio', conforme a citação original.
[9] Segundo informações em GOLDENSON & ANDERSON, 1989, p. 155 e 267.
[10] Entre as pesquisas realizadas, destacam-se a registrada através do artigo: Furlani, Jimena. "Uma Experiência em Educação Sexual com Adolescentes. O processo de construção mental: do questionamento à compreensão da sexualidade humana", UDESC/FAED, 1996 (mimeo) e os trabalhos de discussão com as/os alunas/os do Curso de Pedagogia (UDESC/FAED) nos anos de 1995/96. Quando me refiro à adolescência, estou considerando a faixa etária que compreende os 12 aos 25 anos.
[11] GOLDENSON & ANDERSON, 1989, p.18 e 285, respectivamente.
[12] GOLDENSON & ANDERSON, 1989, p. 35.

[13] Época Vitoriana: período de 64 anos, compreendido entre 1837 a 1901, em que governou o Reino Unido a Rainha Vitória. Ela nasceu em 1819; morreu em 1901 e iniciou seu reinado com apenas 19 anos. Durante essa época, inúmeras normas de conduta ao comportamento social e sexual, principalmente da mulher, foram definidos e incorporados em todas as nações ocidentais, em função da forte influência de colonização cultural e de costumes que a Inglaterra exercia na época. Essas normas de conduta e de comportamento frente à sexualidade foram de caráter repressivo e conservador, e se constituíram num poderoso instrumento de disciplinamento sexual.

[14] Goldenson & Anderson, 1989, p. 72 e 33, respectivamente.

[15] Charles Gatewood apud Steele, 1997, p. 168.

[16] Goldenson & ANDERSON, 1989, p. 51.

[17] Sadomasoquismo: palavra resultante da fusão dos adjetivos sádico e masoquista usada para definir a atividade sexual onde se sente prazer e satisfação em proporcionar a dor, da mesma forma que se sente sexualmente excitado/a em senti-la.

[18] GOLDENSON & ANDERSON, 1989, p. 13.

[19] GOLDENSON & ANDERSON, 1989, p. 88.

[20] GOLDENSON & ANDERSON, 1989, p. 69.

[21] GOLDENSON & ANDERSON, 1989, p. 208; 266-267 e 156, respectivamente.

[22] GOLDENSON & ANDERSON, 1989, p.286; 34 e 09, respectivamente.

[23] CABRAL, 1995, p.28.

[24] CABRAL, 1995, p. 28. Ver, na obra original, aqui citada, como a autora, com muita propriedade, mostra-nos como as idéias de um dualismo entre corpo/alma, criadas pelos gregos (iniciada por Aristóteles), foram difundidas pela visão cristã (constituindo-se como base doutrinária da Igreja Católica), a partir do trabalho de santo Agostinho.

[25] Santo Agostinho, filósofo cristão do final da Antiguidade Clássica, é particularmente, importante na compreensão dos discursos religiosos sobre a sexualidade ocidental. Mencionou "a questão sexual na maioria de suas obras, por ser o referencial mais citado, seguido pela trajetória da Igreja Católica. Ainda hoje, é tido como inspirador de novos preceitos dirigidos aos católicos pelo Papa João Paulo II" (CABRAL, 1995, p. 22). As duas citações deste parágrafo são de Cabral, 1995, p. 32 e 50.

[26] GOLDENSON & ANDERSON, 1989, p. 54.
[27] Segundo dados em Goldenson & Anderson, 1989, p. 229.
[28] Segundo Fang-chung-shu, 1992, páginas de 27 a 38. Obs: jade = pênis; gruta de jade = canal vaginal; no 8º caminho (Peixe com as escamas unidas), não há explicitação aparente da "ejaculação feminina".
[29] GOLDENSON & ANDERSON, 1989, p. 21.
[30] FOUCAULT, 1993, p. 57.
[31] Este ritual hindu foi descrito, baseado em GOLDENSON & ANDERSON, 1989, p. 236.
[32] GOLDENSON & ANDERSON, 1989, p. 168.
[33] GOLDENSON & ANDERSON, 1989, p. 34.
[34] FANG-CHUNG-SHU, 1992, p. 19 e 21, respectivamente.
[35] FANG-CHUNG-SHU, 1992, p. 100. Bastão de jade = pênis; porta de jade ou caverna de cinábrio = canal vaginal.
[36] *Tantra*: substantivo masculino, originário do verbo sânscrito *tantori* = tecer. Seu significado está associado a idéia de êxtase.
[37] Tanto o *mantra* como os *iantra* auxiliam a concentração e a pré-disposição sexual, levando os indivíduos à libido através de sua evocação.
[38] Segundo essa crença, "no princípio, o Senhor dos seres criou os homens e as mulheres e, ... formulou as regras de sua existência em relação ao *Dharma* (é a aquisição do mérito religioso), ao *Artha* (é a aquisição de riquezas e bens) e ao *Kama* (é o amor, o prazer e a satisfação sexual)" VATSYAYANA, 1997, p. 66.
[39] VATSYAYANA, 1997, p. 37.
[40] GIDDENS, 1993, p. 30.
[41] Foucault, 1993, p. 66.
[42] Expressão utilizada por NUNES, César A., 1996, em comunicação verbal, UDESC/FAED, no Curso de Especialização em Educação Sexual.
[43] Ver a discussão em TAYLOR, 1997.
[44] TAYLOR, 1997, p. 24.
[45] TAYLOR, 1997, p. 24.
[46] KAPLAN, 1990, p. 43.
[47] ARATANGY, 1995, p. 52.
[48] CASTRO, 1988, p. 68.
[49] CASTRO, 1988, p.97.
[50] GOLDENSON & ANDERSON, 1989, p. 207.

⁵¹ FANG-CHUNG-SHU, 1992, p. 102.
⁵² PUECH-LEÃO & GLINA, 1990, p. 15.
⁵³ PUECH-LEÃO & GLINA, 1990, p. 71.
⁵⁴ MASTERS, JOHNSON & KOLODNY, 1997, p. 248.
⁵⁵ MASTERS, JOHNSON & KOLODNY, 1997, p. 250.
⁵⁶ Sugiro ver MASTERS, JOHNSON & KOLODNY, 1997, p. 250 a 254.
⁵⁷ CABRAL, 1995, p. 92-93.
⁵⁸ TAYLOR, 1997, p.85.
⁵⁹ GOLDENSON & ANDERSON, 1989, p. 187.
⁶⁰ TAYLOR, 1997, p. 88.
⁶¹ GOLDENSON & ANDERSON, 1989, p.58.
⁶² Goldenson & Anderson, 1989, p. 155.
⁶³ Goldenson & Anderson, 1989, p. 41.
⁶⁴ Alguns encontros mundiais têm voltado a atenção às questões relacionadas a mulher. Destacam-se as: Conferências Mundiais sobre a Mulher (Cidade do México - 1975; Copenhague - 1980; Nairobi - 1985; Pequim - 1995); a Conferência dos Direitos Humanos (Viena - 1993); a Conferência Internacional de População e Desenvolvimento (Cairo - 1994).
⁶⁵ GIDDENS, 1993, p. 37.
⁶⁶ Essas idéias serão apresentadas e discutidas na letra a), das questões comumente levantadas nos trabalhos de Educação Sexual deste mito.
⁶⁷ ARATANGY, 1995, p. 130.
⁶⁸ LEIBOWITCH, 1984, p. 41.
⁶⁹ Informações obtidas na MTV (*Music Television*), no dia 01/12/97.
⁷⁰ Wüsthof, 1994, p. 29.
⁷¹ FERREIRA, 1986, p. 47.
⁷² Segundo FANG-CHUNG-SHU, 1992, p. 84, 125 e 146.
⁷³ FERREIRA, 1986, p.1345.
⁷⁴ GOLDENSON & ANDERSON, 1989, p.154.
⁷⁵ CABRAL, 1995, p. 48.
⁷⁶ ASSIS, 1997, p. 73.
⁷⁷ GOLDENSON & ANDERSON, 1989, p. 146.
⁷⁸ CABRAL, 1995, p. 83.
⁷⁹ Segundo informações contidas em CABRAL, 1995, p. 89.
⁸⁰ A descrição dos casamentos experimentais, foi baseada em GOLDENSON & ANDERSON, 1989, p. 09.

[81] BLANC, 1994, p. 245 e 254-256, respectivamente.
[82] GOLDENSON & ANDERSON, 1989, p. 43.
[83] GOLDENSON & ANDERSON, 1989, p. 154.
[84] Dados obtidos na Revista "Um Outro Olhar", São Paulo, Ano 10, n.24, 1996, p. 08.
[85] Na Primeira Edição (1998), considerei, na discussão, apenas o Código Penal Brasileiro, em vigor. O novo Código Civil Brasileiro – Lei n.10.406 – aprovado em 10 de janeiro de 2002, foi incorporado a essa discussão, a partir da revisão decorrente da segunda Edição (2003).
[86] JESUS, 1994, p. 175.
[87] GOLDENSON & ANDERSON, 1989, p. 214.
[88] OLIVEIRA, 1994, p. 103.
[89] OLIVEIRA, 1994, p. 103-104.
[90] Segundo informações de TAYLOR, 1997, 211.
[91] CASTRO, 1988, p. 121; 162; 164 e 164, respectivamente.
[92] CASTRO, 1988, p. 180.
[93] CABRAL, 1995, p. 92.
[94] Segundo informações contidas em GOLDENSON & ANDERSON, 1989, p. 52.
[95] STONE, LAWRENCE (1990) apud GIDDENS (1993, p. 16).
[96] GOLDENSON & ANDERSON, 1989, p.33, 09, 70, 286, respectivamente.
[97] GOLDENSON & ANDERSON, 1989, p. 98.
[98] GOLDENSON & ANDERSON, 1989, p. 34.
[99] GOLDENSON & ANDERSON, 1989, p. 146.
[100] GOLDENSON & ANDERSON, 1989, p. 146 e 267.
[101] GOLDENSON & ANDERSON, 1989, p. 285.
[102] CASTRO, 1988, p. 64-65.
[103] CASTRO, 1988, p. 162.
[104] CASTRO, 1988, p. 164.
[105] SILVA, 1986, p. 27.
[106] OLIVEIRA, 1994, p. 101.
[107] Segundo a O.M.S. a Terceira Idade, nos países desenvolvidos, inicia-se aos 60 anos e, nos países em desenvolvimento, aos 65 anos.
[108] GOLDENSON & ANDERSON, 1989, p. 09.
[109] Climatério = período que corresponde ao intervalo de anos cuja cronologia não é exata para cada mulher – geralmente entre 45 a 55

anos. Caracteriza-se pelo término da ação dos hormônios sexuais femininos no ciclo menstrual. Seu principal evento é a vinda da última menstruação = MENOPAUSA. Pode ser compreendido como um período análogo a puberdade (onde se inicia a ação dos hormônios sexuais, cujo principal evento é a primeira menstruação = MENARCA).

[110] GOLDENSON & ANDERSON, 1989, p. 193.
[111] TAYLOR, 1997, p. 169.
[112] GOLDENSON & ANDERSON, 1989, p. 82.
[113] CASTRO, 1988, p. 123; 162; 164 e 164, respectivamente.
[114] GOLDENSON & ANDERSON, 1989, p. 146.
[115] Castro, 1988, p. 242.
[116] GOLDENSON & ANDERSON, 1989, p. 154.
[117] GOLDENSON & ANDERSON, 1989, p. 155.
[118] GOLDENSON & ANDERSON, 1989, p. 09.
[119] As informações deste parágrafo foram obtidas em Taylor (1997, p. 198-200). Os bordéis (bordel = prostíbulo, do francês bordel = casinha, cabana), surgiram em épocas muito antigas: na Grécia, desde o século VI a.C.; na China, desde o século VII a.C.; no Japão, desde o século XII. Durante o Império Romano eram licenciados, portanto, institucionalizados pelo Estado. Entretanto, durante a Idade Média, muitas foram as tentativas de extinguí-los.
[120] Os dados desse parágrafo foram obtidos no panfleto "Prazer sem medo – Informação para mulheres que transam com mulheres" – Rede de Informação Um Outro Olhar, São Paulo, 1995.
[121] Segundo GOLDENSON & ANDERSON, 1989, p. 92.
[122] STEELE, 1997, p. 13.
[123] Conforme STEELE, 1997, p. 22.
[124] GOLDENSON & ANDERSON, 1989, p. 18, 21 e 227, respectivamente.
[125] STEELE, 1997, p. 200.
[126] Segundo informações contidas em GOLDENSON & ANDERSON, 1989, p. 09.
[127] GOLDENSON & ANDERSON, 1989, p. 54-55.
[128] GOLDENSON & ANDERSON, 1989, p. 144 e 154, respectivamente.
[129] TAYLOR, 1997, p. 177.

[130] KAPLAN, 1990, p. 31.
[131] GOLDENSON & ANDERSON, 1989, p. 72.
[132] NUNES, 1987, p 21.
[133] MOTT, 1988, p. 132.
[134] CASTRO, 1988, p. 1285.
[135] CASTRO, 1988, p. 1345-1346.
[136] MOTT, 1988, p.185-186.
[137] GOLDENSON & ANDERSON, 1989, p. 175 e 98, respectivamente.
[138] CASTRO, 1988, p. 159.
[139] GOLDENSON & ANDERSON, 1989, p. 179.
[140] A ONG, Rede de Informação Um Outro Olhar, de São Paulo, fundada em abril de 1990, "atua nas áreas de direitos humanos de gays, lésbicas e outros grupos marginalizados em função da orientação sexual, e na área da saúde da mulher". Tem promovido, nos últimos anos, encontros e cursos para mulheres lésbicas e bissexuais, através do "Projeto Mulheres & Mulheres: prazer sem medo", com financiamento do PN/DST/AIDS do Ministério da Saúde. O objetivo é desencadear um "processo de informação à população feminina sobre a importância com a saúde, em geral, e com a ginecológica, em particular, bem como a prevenção de DST e AIDS" (UOO, 1996, n°23, p. 19 e 05).
[141] Um Outro Olhar, 1996, n° 23, p. 05.
[142] Os comentários sobre práticas sexuais de homens e mulheres homossexuais são baseados nos dados de pesquisas realizadas por Godoy, R. Mª de (1997) e Córdova, L.F. (1997), que tive o privilégio de orientar, no Curso de Especialização em Educação Sexual (UDESC/FAED). As observações escritas neste livro sobre a prática da homossexualidade e seus significados são, totalmente, originárias de minhas análises, não constando, portanto, nos trabalhos monográficos dos autores mencionados.
[143] CARDOSO, 1996, p. 07.
[144] GOLDENSON & ANDERSON, 1989, p. 173.
[145] Pederastia = relacionamento sexual entre um homem adulto e um rapaz mais jovem.
[146] GOLDENSON & ANDERSON, 1989, p. 266-267.
[147] GOLDENSON & ANDERSON, 1989, p.106.
[148] Para aprofundar a discussão acerca dos estudos biológicos sobre orientação sexual sugiro a leitura de Cardoso, 1996.
[149] Apud SUTTER, 1993.

[150] Essa possibilidade também é apresentada e discutida em CARDOSO, 1996, p. 23.
[151] Informação obtida em 'Um Jornal Entendido'- (Brasília / DF, 1996, n° 05, p. 05).
[152] Podia ilustrar essa idéia com um parente, um irmão, por exemplo. Mas as amizades se prestam melhor a esse exemplo, uma vez que os amigos nós os escolhemos, por suas qualidades e por afinidade. Com os irmãos isso não acontece; ou eles "já existem", ou eles "ainda virão"; não há escolha.
[153] Penso que ninguém escolhe em ser homo, hetero ou bissexual. A orientação sexual, entendida aqui como desejo e subjetividade, não depende da vontade da pessoa – ela é apenas descoberta ao longo da vida. A partir daí, há uma escolha: vivenciá-la ou não. Nessa decisão vários fatores contribuem entre eles, a coragem de buscar a felicidade, tendo que, para isso, enfrentar um difícil obstáculo – o preconceito e todas as conseqüências decorrentes de um comportamento fora do padrão determinado e hegemônico.
[154] NUNES, 1987, p. 50 e NUNES, 1997, p. 74-75.
[155] NUNES, 1987, p. 75.
[156] TREVISAN, 1996.
[157] Fontes: esquina-das-listas@dcc.unicamp.br e luizmott@ufba.br in: Um Outro Olhar, 1997, n° 26, p.08.
[158] Ver discussão sobre o tabu contra sexo anal e oral.
[159] MACRAE, 1990, p.51.
[160] GODOY, Rosane Mª de (1997) e CÓRDOVA, Luiz F. (1997).
[161] CABRAL, 1995, p.113.
[162] CABRAL, 1995, p.44.
[163] FURLANI, 1996, p. 70.
[164] FURLANI, 1997, p. 26

BIBLIOGRAFIA

ALVES, Branca Moreira & PITANGUY, Jacqueline. *O que é feminismo*. São Paulo: Brasiliense, 1981.

ARATANGY, Lidia Rosenberg. *Sexualidade. A difícil arte do encontro*. São Paulo: Ática, 1995.

ASSIS, Gláucia de Oliveira. "Dos estudos sobre a mulher aos discursos de gênero: uma análise diacrônica". In: *Revista do NES – Núcleo de Estudos da Sexualidade*. Ano I, n. 01. Florianópolis: UDESC/FAED/ NES, 1997, pp. 51-74.

BADINTER, Elisabeth. *Um é o Outro*. Rio de Janeiro: Nova Fronteira, 1986.

BLANC, M. *Os Herdeiros de Darwin*. São Paulo: Página Aberta, 1994.

CABRAL, Juçara Teresinha. *A sexualidade no mundo ocidental*. Campinas, São Paulo: Papirus, 1995.

CARDOSO, Fernando Luiz. *O que é orientação sexual?* São Paulo: Brasiliense, 1996 (Coleção Primeiros Passos).

CASTRO, J. J. P. de. *Bíblia Sagrada*. São Paulo: Ave Maria, 1988.

CAVALCANTI, Ricardo da Cunha. "Sexualidade do Homem na Terceira Idade". In: *Revista Brasileira de Sexualidade Humana*. São Paulo: SBRASH, Editora Iglu, v.I, n. 02, 1990, pp. 39-49.

CHODOROW, Nancy. *Psicanálise da Maternidade. Uma crítica a Freud a partir da mulher*. Rio de Janeiro: Rosa dos Tempos, 1990.

CICCONE, Madonna L. V. In: GASPARI, Elio. "Ela é assim e nunca pede desculpas". Entrevista com Madonna. São Paulo: *Revista Veja*, 1992, 25 de novembro.

CORDOVA, Luis Fernando. A relação homoerótica e a dismitificação do casamento homossexual. *Monografia de Especialização em Educação Sexual*, Florianópolis: FAED/UDESC, 1997.

COUTINHO, Elzimar Metzker. *Menstruação, a sangria inútil: uma análise da constribuição da menstruação para as dores e os sofrimentos da mulher*. São Paulo: Editora Gente, 1996.

FANG-chung-shu. *A arte chinesa do amor*. Rio de Janeiro: Ediouro, 1992.

FERREIRA, A.B. de H. *Novo Dicionário da Língua Portuguesa*. Rio de Janeiro: Nova Fronteira, 1986.

FOUCAULT, Michel. *História da Sexualidade. A Vontade de Saber*. Rio de Janeiro: Graal, vol.1, 1993.

FOUCAULT, Michel. *História da Sexualidade. O Uso dos Prazeres*. Rio de Janeiro: Graal, v.2, 1994.

FURLANI, Jimena. A Biologia e a Sexualidade – uma discussão sob a ótica da Evolução da Espécie Humana. Florianópolis: *Universidade & Desenvolvimento*, 1996, pp. 38-72.

FURLANI, Jimena. "A educação como combate ao preconceito". In: *Relatório do IX Encontro Brasileiro de Gays, Lésbicas e Travestis e do II Encontro Brasileiro de Gays, Lésbicas e Travestis que trabalham com AIDS*. São Paulo: Rede de Informação Um Outro Olhar, 1997.

GAARDER, Jostein. *O Mundo de Sofia: romance da história da filosofia*. São Paulo: Companhia das Letras, 1995.

GALEANO, Eduardo. "Janela Sobre o Corpo". In: RIOS, Terezinha Azeredo. De educação e alegria: corpo docente. *Presença Pedagógica*, jan/fev, 1995, p. 80.

GIDDENS, Anthony. *A transformação da intimidade: sexualidade, amor e erotismo nas sociedades modernas*. São Paulo: Editora da UNESP, 1993.

GODOY, Rosane Maria de. A voz das lésbicas: do discurso oculto ao desvendamento das vivências e do imaginário erótico. *Monografia de Especialização em Educação Sexual*, Florianópolis: FAED/UDESC, 1997).

GOLDENSON, R. M. & ANDERSON, K. M. *Dicionário de Sexo*. São Paulo: Ática, 1989.

JAPIASSU, H. & MARCONDES, D. *Dicionário Básico de Filosofia*. Rio de Janeiro: Zahar, 1990.

JESUS, Damásio E. de. *Direito Penal*. 3º vol. São Paulo: Saraiva, 1994.

KAPLAN, Helen Singer. *A Nova Terapia do Sexo*. Rio de Janeiro: Nova Fronteira, 1990.

KATZ, Jonathan Ned. *A invenção da Heterossexualidade*. Rio de Janeiro: Ediouro, 1996.

LEIBOWITCH, J. *Um vírus estranho de origem desconhecida: AIDS*. Rio de Janeiro: Record, 1984.

LOURO, Guacira Lopes. *Gênero, Sexualidade e Educação: uma perspectiva pós-estruturalista*. Petrópolis, Rio de Janeiro: Vozes, 1997.

MASTERS, William H. & JOHNSON, Virginia E. *A conduta sexual humana*. Rio de Janeiro: Editora civilização Brasileira, 1981.

MASTERS, W. H., JOHNSON, V. E. & KOLODNY, R. C. *Heterossexualidade*. Rio de Janeiro: Bertrand Brasil, 1997.

MORAES, Eliane R. & LAPEIZ, Sandra M. *O que é pornografia*. São Paulo: Brasiliense, 1985 (Coleção Primeiros Passos).

MOTT, Luiz. *O Sexo Proibido. Virgens, Gays e Escravos nas garras da Inquisição*. Campinas, São Paulo: Papirus, 1988.

NUNES, César Aparecido. *Desvendando a Sexualidade*. Campinas: Papirus, 1987 e 1997 (2ª Edição).

OLIVEIRA, Juarez de. *Código Penal*. São Paulo: Saraiva, 1994.

PIMENTEL, Pedro & LIMA, Marina. Trecho da música "Não estou bem certa ...". *Encarte do CD Marina Lima*, 1991.

PUECH-LEÃO, Pedro & GLINA, Sidney. *Os órgãos de Adão: potência e fertilidade masculina*. São Paulo: Marco Zero, 1990.

REDE DE INFORMAÇÃO UM OUTRO OLHAR. Cartilha Prazer Sem Medo. *Projeto Mulheres & Mulheres*. São Paulo, 1995.

REICH, Wilhelm. *A função do orgasmo.* São Paulo: Brasiliense, 1995.

RODRIGUES JÚNIOR, Oswaldo Martins. *Objetivos do Desejo: das variações sexuais, perversões e desvios.* São Paulo: Iglu, 1991.

SILVA, Tomaz Tadeu da. "Sociologia da Educação e Pedagogia Crítica em Tempos Pós-Modernos". In: _____.(org). *Teoria Educacional Crítica em Tempos Pós-Modernos.* Porto Alegre:Artes Médicas, 1993.

SILVA, V.A. da. *Nossos Desvios Sexuais.* São Paulo: Ediouro, 1986.

SOARES, Maria da Graça. "Registros da Educação Sexual". in: *Revista do NES – Núcleo de Estudos da Sexualidade.* Ano I, v. 01, Florianópolis: UDESC, 1997.

STEELE, Valerie. *Fetiche: moda, sexo & poder.* Rio de Janeiro: Rocco, 1997.

TAYLOR, Timothy. *A Pré-História do sexo: quatro milhões de anos de cultura sexual.* Rio de Janeiro: Campus, 1997.

TIBA, Içami. *123 respostas sobre drogas.* São Paulo: Scipione, 1994.

TREVISAN, João Silvério. "A Arte de ser n° 2". In: *Revista Suigeneris.* Rio de Janeiro, n. 10, 1996.

VATSYAYANA, Mallanaga. *Kama Sutra.* Rio de Janeiro: Jorge Zahar Editor Ltda, 1997.

VEIGA, Francisco Daudt da. *A criação segundo Freud: o que queremos para os nossos filhos?* Rio de Janeiro: Relume-Dumará, 1992.

VEYNE, Paul. "A homossexualidade em Roma". In: DUBY, Georges. *Amor e Sexualidade no Ocidente.* Apartado, Portugal: Terramar, 1991.

WILDE, Oscar. *Aforismos.* Curitiba, Paraná: Pólo Editorial do Paraná, 1997.

WÜSTHOF, Roberto. *Descobrir o Sexo.* São Paulo: Ática, 1994.

QUALQUER LIVRO DO NOSSO CATÁLOGO NÃO ENCONTRADO NAS LIVRARIAS PODE SER PEDIDO POR CARTA, FAX, TELEFONE OU PELA INTERNET.

Rua Aimorés, 981, 8º andar – Funcionários
Belo Horizonte-MG – CEP 30140-071

Tel: (31) 3222 6819
Fax: (31) 3224 6087
Televendas (gratuito): 0800 2831322

vendas@autenticaeditora.com.br
www.autenticaeditora.com.br

ESTE LIVRO FOI COMPOSTO COM TIPOGRAFIA GARAMOND-LIGHT E IMPRESSO EM PAPEL CHAMOIS FINE DUNAS 80 G. NA FORMATO ARTES GRÁFICA.